FLORENCE DESACHY

MON CHAT ADORE ~~MON~~ SON APPART

ADAPTATIONS & AMÉNAGEMENTS

ULMER

SOMMAIRE

AVANT D'ENTRER DANS LE VIF DU SUJET…

Le chat peut sembler être un animal adapté à la ville : de taille réduite, facile à transporter, il est propre, indépendant, autonome, peu coûteux. Il peut rester seul longtemps et n'exige pas de longues promenades : une peluche vivante, le rêve !
Mais le chat est-il vraiment un animal adapté à la vie citadine ? adapté à *votre* vie ?

Les modifications sur son comportement imposées par sa vie auprès de vous ont-elles des conséquences sur son équilibre ? Perturbent-elles son comportement ? Perturbent-elles l'environnement ?

Si, après le chat de gouttière bien sûr, les races préférées des amoureux des chats sont les siamois, les persans, les chartreux, existe-t-il des races plus adaptées à votre personnalité et à votre mode de vie ?

Le chat ne répond pas quand on l'appelle, il ne se dresse pas comme un chien. Il est indépendant et nous semble un peu « sauvage ». Or, votre chat ne vit plus à l'état sauvage, mais avec vous, chez vous.

Pour savoir si votre chat peut assumer sa partie « sauvage » chez vous, il faut connaître ses besoins et donc ses activités de base afin, non pas de les reproduire chez vous, mais de lui fournir des activités de substitution. Cela implique de savoir ce que fait votre chat quand il est chez vous et s'il sort.

Votre objectif, comme celui de tout humain partageant sa vie avec un chat, devrait être de lui proposer un environnement stimulant qui lui permette d'assumer ses activités naturelles (par exemple et en premier lieu la chasse).

Grâce à ce livre, vous saurez tout sur le comportement du chat dans la nature et le comportement de votre chat chez vous. Vous comprendrez aussi que, sans le vouloir, vous imposez des « contraintes » à votre chat. Enfin, vous saurez comment adapter l'environnement de votre chat à ses besoins spécifiques.

QUE FERAIT VOTRE CHAT DANS LA NATURE ?

Avant d'adapter votre environnement aux besoins de votre chat, il faut d'abord connaître son mode de vie à l'état sauvage ! Le chat est un animal territorial qui gère son espace, ses activités de façon méthodique et très organisée.

IL MANGE

Dans son milieu naturel, votre chat est un chasseur solitaire toujours à l'affût qui cherche surtout des proies de petite taille. Oui, votre matou si gentil sur son canapé ne rêve que de chasser !
Le chat est un grignoteur par nature. Il effectue de 10 à 20 petits repas par jour, d'environ 10 à 20 grammes par repas. Ses proies étant toutes petites, il est très occupé par cette activité de chasse.
Nous verrons comment reproduire cette activité chez vous par le jeu.

IL URINE

Pour cela, il choisit un endroit tranquille et bien situé et dans lequel il peut gratter. S'ensuit tout un rituel :
- Il gratte pour faire une cuvette, fait un demi-tour.
- Il s'accroupit lève la queue et urine.
- Il renifle puis recouvre la zone.

C'est l'instinct qui pousse le chat à recouvrir ses excréments. Vous le savez, l'urine du chat a une odeur très forte. C'est pour masquer cette odeur qu'il recouvre son urine. En effet, sans cela, il prendrait le risque d'attirer l'attention des prédateurs. La litière a une importance fondamentale chez vous (composition, bac, emplacement).

IL SE LAVE

Chez le chat, le toilettage concerne uniquement l'individu lui-même, les autres n'ont qu'à se débrouiller tout seuls ! Il est très méthodique : de la tête à la queue avec léchages, mordillements, léchage-frottement et grattage avec des pauses à chaque changement de méthode.
Le toilettage a un double intérêt pour le chat :
- c'est une activité déstressante ;
- en se léchant, le chat absorbe une molécule présente sur son pelage qui, grâce aux UV, se transforme en vitamine D, qui contribue à la solidité des os.

Le toilettage, un signe de bien-être qui ne trompe pas

Le chat est un spécialiste de l'auto-nettoyage. C'est un animal très propre, qui consacre plusieurs heures par jour à son hygiène.
Un pelage intact permet au chat de maintenir une température corporelle constante (le pelage emprisonne l'air qui forme une couche isolante). L'entretien du pelage contribue au bien-être et au confort du chat.
Lorsqu'il se toilette, le chat incorpore toutes les odeurs recueillies dans son environnement; après sa toilette, il est prêt à en recueillir de nouvelles.
Un chat qui se toilette est donc un chat heureux.

Le chat n'a pas besoin de bain ! Il se débrouille très bien seul !

IL SE FROTTE

Votre chat se frotte pour marquer son territoire et non par affection pour les arbres ou pour le canapé ! Il frotte son front, sa babine, sa joue, tout son corps, sa queue. Il dépose sur les objets et les surfaces des marques odorantes apaisantes (appelées phéromones), sécrétées par des glandes situées sur le menton, les lèvres et les joues. Les frottements permettent au chat de s'apaiser.

La fréquence des frottements sur vos mains, vos jambes, les pieds de chaise est un indice de son bien-être chez vous.

IL GRIFFE

En griffant, le chat élimine les enveloppes cornées extérieures usées. Il signifie également qu'il est chez lui en marquant son territoire de manière visuelle. Dans la nature, les autres chats qui approchent remarquent ces griffades sur les arbres et savent qu'ils rentrent sur le territoire d'un autre, à leur risque et péril ! Chez vous, il va aussi délimiter son espace.

IL DORT

Dans la nature, les chats, comme tous les animaux chasseurs, dorment beaucoup plus que leurs proies qui, elles, sont toujours en alerte, appréhendant le réveil du chat.
Les félins économisent leur énergie dans l'attente d'un nouveau repas. Tant qu'aucune proie ne se présente, il vaut mieux se reposer ! Votre chat a donc besoin d'un endroit tranquille : votre lit par exemple.

IL EXPLORE

Il est important que votre chat connaisse parfaitement son environnement. Il se balade beaucoup sans avoir besoin de GPS. Chez vous, il aura vite fait la visite complète des lieux.
Nous verrons que pour maintenir la curiosité de votre chat, il faudra introduire régulièrement quelques nouveautés chez vous.

IL JOUE

Votre chat veut attraper le bout de sa queue, puis un brin d'herbe, puis une souris. Un chaton découvre le jeu à plusieurs : poursuites, luttes ou jeux sexuels. Une fois adultes, les chats jouent peu entre eux. Ils préfèrent jouer seuls, avec des objets.

En l'absence de proies, le chat chasse n'importe quel objet qui le stimule, comme des feuilles, des jouets…
Reportez-vous aux pages 70 et suivantes pour connaître l'intérêt des jouets et savoir lesquels choisir.

Si l'une ou plusieurs de ces activités naturelles manquent au quotidien de votre chat, cela peut être dû à **un manque de stimulation** (dans ce cas, l'enrichissement environnemental suffira) ou à **l'apparition d'une pathologie** (auquel cas il faudra consulter un vétérinaire pour s'assurer de la santé de votre compagnon).

Le chat, animal sauvage ou domestique ?

Selon la revue Nature « Ecology & Evolution », les chats qui partagent nos vies ne descendent pas du chat sauvage européen (*Felis silvestris silvestris*), mais du chat sauvage d'Afrique (*Felis silvestris lybica*), un animal que l'on trouve encore aujourd'hui en Afrique du Nord et au Sud de l'Asie Mineure. C'est donc au Proche-Orient qu'humains et chats ont appris à se connaître, mais les chercheurs ne parviennent toujours pas aujourd'hui à dater précisément la domestication du chat.
Sauvage ou domestique, la question agite depuis des années les scientifiques. Encore faudrait-il être d'accord sur la notion de domestication ! Pour certains, cela se limite à être apprivoisé et capable de vivre aux côtés de l'humain, génération après génération, ce qui est le cas du chat. D'autres proposent des standards plus rigoureux : des modifications génétiques et comportementales complexes qui transforment radicalement un être vivant.
Le fait est que la plupart des scientifiques affirment que le chat s'est domestiqué tout seul, le soupçonnant d'avoir développé des ronronnements et des miaulements spécifiques pour l'homme.

COMMENT VOTRE CHAT SE COMPORTE-T-IL CHEZ VOUS ?

COMMENT UTILISE-T-IL SES SENS AVEC VOUS ?

Le chat utilise énormément ses sens pour communiquer car c'est un animal territorial très sensible à son environnement.
Connaître et comprendre le mode de communication de votre chat vous permettra de répondre au mieux à ses attentes et de favoriser son bien-être.

IL VOUS ENTEND ET IL VOUS PARLE

L'ouïe du chat est extrêmement développée. Le chat perçoit les sons très aigus (les ultrasons) et très graves. Votre chat supporte donc mal la musique et les sons forts.
Les pavillons mobiles des oreilles du chat lui permettent de localiser l'origine d'un son très précisément. Très pratique pour chasser !
Le langage de votre chat est constitué du ronronnement, de miaulements, de cris, du grondement, du feulement. Connaissez-vous la signification de ces vocalises ?

Dos arqué, poils hérissés et feulement : ce chat n'est pas content !

- **Le ronronnement :** pour exprimer un plaisir ou évacuer une tension.
- **Les miaulements :** pour exprimer une demande (j'ai faim, je veux sortir, je m'ennuie).
- **Les cris :** pour exprimer un état émotionnel intense (j'ai peur du chat du voisin).
- **Le grondement :** pour vous signifier qu'il prépare une agression.
- **Le feulement** (expulsion continue d'air gueule ouverte) : pour exprimer un mécontentement sans risque certain d'agression (arrête de me caresser !).
- **Le claquement de dents** (halètement) : pour exprimer la présence d'un partenaire sexuel ou d'une proie.

Comment s'exprime votre chat ?
Quel est le son qu'il émet le plus chez vous ?

Le ronronnement : il est heureux.
Les miaulements : tout dépend du moment et de la situation.
Observez votre chat et vous connaîtrez son besoin : veut-il sortir, jouer, manger ?
Le grondement : votre chat a des problèmes d'agressivité.
Le feulement : il est peu patient.

IL VOUS SENT

Votre chat envoie et perçoit des phéromones, substances volatiles sécrétées qui, perçues par un autre chat, indiquent « l'humeur du chat » : je vais t'attaquer, je veux bien être ton ami…
Les phéromones jouent un rôle important dans les différents marquages spécifiques du chat. Il se frotte à vous, dépose des phéromones ou il vous sent et se sauve ! Il va baliser son espace chez vous grâce à ces phéromones totalement invisibles : vous êtes « marqués » sans le savoir !

Comment votre chat vous sent-il ?

Il se frotte sans cesse à vous : il a besoin de se sentir en sécurité.
Il se frotte un peu à vous : il est équilibré.
Il ne se frotte pas du tout à vous : son environnement lui suffit, il a peu de relations avec l'humain.

IL VOUS TOUCHE

Grâce à ses vibrisses que sont les moustaches, mais également des grands poils au-dessus des yeux, le chat peut s'orienter dans l'obscurité. Ces vibrisses sont indispensables pour la chasse car elles guident la morsure et l'ingestion de la proie. Regardez les moustaches de votre chat quand il joue avec une boulette de papier : elles se dirigent vers la boulette. Quand votre chat vous effleure avec ses moustaches, cela signifie qu'il prend connaissance de vous, de vos vêtements, par l'odeur (et non par le toucher). Ne coupez jamais les vibrisses de votre chat !

Vous retrouverez parfois au sol une ou deux grosses moustaches qui peuvent tomber d'elles-mêmes : pas d'inquiétude… Le chat perd naturellement des moustaches mais seulement lorsque la moustache de rechange a déjà poussé ! Il ne faut donc absolument jamais les lui couper. Ces moustaches qui tombent sont d'ailleurs souvent très épaisses et ressemblent à un gros fil de pêche : elles ne sont plus sensibles aux frottements et ne servent donc plus à rien au chat, alors il les change !

IL VOUS VOIT

Par rapport à la masse du corps, les yeux du chat comptent parmi les plus gros de tous les animaux terrestres. Ses yeux sont également de grande taille par rapport à la taille de son crâne.
Les chats ont également un champ de vision plus large que le nôtre : 240 degrés. En comparaison, le nôtre est de 180 degrés. En revanche, les chats ne voient nettement que les objets qui se trouvent à une dizaine de centimètres devant eux.

Les chats sont nyctalopes, c'est-à-dire qu'ils voient la nuit. Ils possèdent au fond de leur œil un nombre plus élevé de bâtonnets, les cellules réceptrices de lumière. Ainsi, même une faible lumière leur permet de voir distinctement la nuit. Les chats possèdent sur la partie la plus profonde de l'œil un tapis choroïdien : c'est en fait un miroir qui réfléchit la lumière. Cela permet au chat d'optimiser une lumière faible et c'est pour cela que le chat a les yeux qui brillent dans la nuit (comme un miroir éclairé).
Les pupilles de votre chat rétrécissent sous l'effet de la lumière : elles prennent alors la forme de deux petites fentes verticales. Au contraire, quand il fait sombre, les pupilles sont grandes et rondes. Ainsi, le chat peut utiliser le moindre rayon lumineux.

Si l'œil du chat contient beaucoup de bâtonnets qui lui permettent de voir la nuit, il possède peu de cônes, les cellules photoréceptrices permettant de voir les couleurs. Les chats perçoivent donc très peu les couleurs, essentiellement le jaune et le bleu. Ils ne distinguent pas le vert du rouge.

Votre chat voit donc d'abord la taille d'un objet, puis la luminosité, puis la forme globale et surtout la position des parties du corps. Il est très sensible aux contrastes et aux mouvements : il voit mieux une souris grise qui bouge qu'une souris vert fluo immobile ! Pensez-y pour ses jouets.

Il joue sans cesse avec vos doigts : il a besoin de chasser !
Il vous attrape les pieds : il a besoin de chasser !
Il vous attend, caché derrière la porte : il a besoin de chasser !
Il vous regarde tranquillement : il est bien chez vous.

QUE VEUT-IL VOUS DIRE ?

Le chat est très expressif, observez-le et apprenez à interpréter le moindre de ses mouvements. De nombreuses zones corporelles sont utilisées dans la communication chez le chat.

LES EXPRESSIONS FACIALES

Les expressions faciales de votre chat sont constituées principalement par la position des oreilles, le diamètre des pupilles et l'ouverture de la bouche.

Le mouvement des oreilles est parfois le seul signe de changement de l'état émotionnel, avant un crachement ou une gueule ouverte qui sont des signes de menace.

La position des oreilles

- Les oreilles sont portées droites lors d'interactions positives.
- Couchées sur le côté ou en arrière lors d'interactions négatives, elles signifient que le chat se prépare à attaquer.

Le diamètre pupillaire

Les variations du diamètre de la pupille sont dues, comme nous l'avons vu plus haut, à l'intensité lumineuse, mais elles révèlent aussi l'état émotionnel de votre chat :

- Une pupille dilatée (la mydriase) révèle un état de peur.
- Au contraire, une pupille contractée (le myosis) indique une probable agression.
- Le chat heureux a les yeux ouverts avec une pupille ronde et petite.

L'ouverture de la gueule

Elle signe une escalade de l'agression, et s'accompagne en général de signaux sonores (feulements, grognements, sifflements...).

LES POSTURES CORPORELLES

En position agressive, le chat présente un dos arqué et les poils hérissés, ce qui augmente son volume et devrait vous faire peur ! Il peut se déplacer latéralement (en crabe) avec l'arrière-train surélevé, la queue tombante et hérissée.

En position de peur, le chat se ramasse sur lui-même, s'accroupit ou s'aplatit au sol et rentre le cou.

Lors d'une approche amicale, le chat arrive de face avec la queue relevée, verticale ou courbée.

QUIZ

Que vous dit votre chat ?

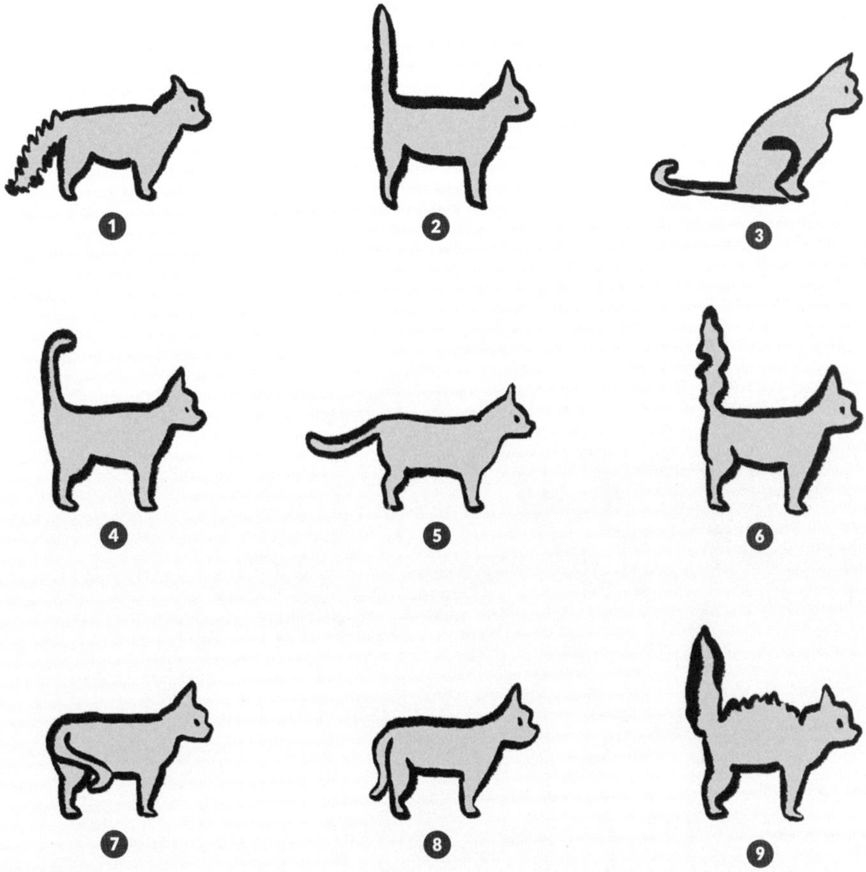

RÉSULTATS

1. En colère (queue hérissée)
2. Amical et confiant
3. Intéressé par ce qui se passe autour de lui
4. Zénitude parfaite (queue en point d'interrogation)
5. Attentif
6. Heureux de vous voir (queue tremblante)
7. Inquiet (queue un peu rabattue entre les jambes)
8. Appréhende quelque chose (queue basse)
9. Agressif (le poil gonflé pour paraître plus gros et faire peur à l'adversaire)

Queue en point d'interrogation et yeux mi-clos : chat zen !

LE PORT DE LA QUEUE

Le balancement de la queue indique une émotion désagréable. Il précède parfois une agression.
La pilo-érection (queue avec les poils hérissés) est associée aux postures de menace.
Le port de queue vertical est utilisé dans les interactions avec l'homme, comme comportement d'accueil :
- arrondie en point d'interrogation : votre chat se sent bien et a envie de jouer ;
- queue basse : il est de très mauvaise humeur.

Vous pouvez désormais savoir si votre chat a un comportement zen chez vous, avec vous. Mais comment savoir s'il est bien quand il est tout seul ?

SON COMPORTEMENT AVEC VOUS

Le chat est capable d'entretenir des relations avec les humains plus étroites que celles qu'il entretient avec ses congénères.
Mais est-il plus important pour son équilibre qu'il passe du temps avec vous, dehors, dedans, qu'il voie d'autres chats ?
Comment le rendre heureux s'il ne vit qu'avec vous ?
Doit-il assumer tous ses instincts chez vous ?
Doit-il être toujours tout seul, toujours avec vous, avec d'autres chats ?

LA FAMILIARISATION AVEC L'ÊTRE HUMAIN

Chez le chat en milieu confiné (c'est-à-dire votre appartement !), les méthodes d'enrichissement du milieu de vie comportent généralement des interactions avec l'homme. Pour rendre votre chat heureux et équilibré, il est important que vous puissiez communiquer avec lui, comprendre ses besoins, mais surtout *répondre* à ses besoins : vous devez donc interagir avec lui.

L'enrichissement du milieu de vie, dont nous reparlerons beaucoup, ne consiste pas seulement à mettre des jouets partout : c'est un concept qui consiste à « reproduire » les activités naturelles du chat : la chasse, les cachettes…
En présence de leur maître, les chats préfèrent toujours être en interaction avec lui, plutôt que de jouer avec des objets. Mais cela est à éviter : **votre chat doit se détacher de vous** et assumer ses instincts de chasse, par exemple en jouant.

Caroline et Merlin, norvégien mâle de 4 ans

« Nous avons eu Merlin à 4 mois, il s'est tout de suite attaché à nous mais sans se détacher ! C'est un vrai chien ! Il nous suit partout, nous ne pouvons ni nous absenter ni le faire garder. Il miaule toute la journée. Il n'est pas autonome, il faut jouer avec lui. Il dort contre nous. Au début, c'est très flatteur mais ensuite on se dit que ce n'est pas très équilibrant pour lui. Nous conseillerions donc à ceux qui adoptent un chat de type norvégien de limiter l'attachement. »

Votre objectif est d'avoir un chat « familier », mais qui peut assumer son côté « sauvage ». Il doit être à vos côtés, aimer vos caresses, mais ne doit pas en être dépendant et doit retrouver à certains moments ses activités de chat : la chasse, le jeu…
Dès le plus jeune âge, il est donc important de procéder à une familiarisation à l'homme des jeunes individus et en particulier au moment de la période de socialisation (avant 2 mois), mais aussi de préserver leur instinct de chasseur sans chasser ! Nous verrons que le jeu, la recherche de nourriture et l'enrichissement du milieu sont autant de solutions.

SI VOUS ADOPTEZ UN CHATON

Voici deux tests à faire pour savoir si la relation du chaton avec l'humain part sur de bonnes bases.

Le test de réactivité à la manipulation

Le chaton est suspendu par la peau du cou, à la manière dont le tient sa mère dans sa gueule pour le transporter :

- le chaton sociable de moins de 3 mois est, dans cette position, calme et immobile, sa queue rentrée sous l'abdomen ;
- le chaton avec un déficit de sociabilisation va se débattre, se retourner et essayer d'agresser pour échapper à la contrainte.

Attention
Souvenez-vous qu'il ne faut pas adopter un chaton trop jeune (moins de 12 semaines). Pour plus d'information, reportez-vous à la page 30.

Le test de familiarisation

Une personne inconnue s'approche du chaton et le caresse en guettant ses réactions :
- le chaton sociable recherche le contact et apprécie les caresses ;
- le chaton peu tolérant à la manipulation cherchera à s'enfuir.

À savoir
La plupart des chats apprécient plus volontiers d'être caressés sur certaines zones, en raison des glandes phéromonales présentes : en région temporale, entre les yeux et les oreilles, là où ils établissent le contact en se frottant avec leurs congénères.

LES CARESSES

Le contact et les échanges tactiles ne semblent pas revêtir pour le chat la même importance que pour l'humain car la plupart des signaux de communication qu'il émet agissent à distance : son équilibre ne réside donc pas forcément dans le contact avec vous.
Le chat semble avoir un « seuil de tolérance » aux caresses, et peut devenir agressif lorsqu'il ne peut plus en supporter davantage. C'est pour cela qu'il est important que vous connaissiez les modes de communication de votre chat : pour repérer les signaux d'agacement qu'il émet.
Un aspect très important pour l'équilibre de votre chat est la façon dont il organise son espace même si cela n'est pas très concret pour vous !

COMMENT GÈRE-T-IL SON ESPACE ET LE VÔTRE ?

Dans la nature, il existe des zones dans lesquelles il y a des abris et des sources de nourriture.
C'est dans ces zones qu'est relevé le plus grand nombre de marquages, de flairages et de griffades : le chat fait comprendre au voisin que ce n'est pas chez lui.
La taille du domaine vital d'un chat dans la nature est extrêmement variable, elle peut dépendre de la nature de l'habitat, de la concentration des ressources, du rythme d'activité, de la saison et du sexe : en période de recherche de femelle, le mâle s'attribue par exemple un grand territoire pour éloigner les rivaux.

Il n'est cependant pas question que vous réaménagiez votre appartement au printemps : les chats domestiques ont des domaines vitaux inférieurs à ceux des chats « sauvages » ; de plus, chez les chats domestiques, il n'y a pas de différence de taille des domaines vitaux en fonction du sexe ou de la saison.

Chez vous, certaines zones étant « privées » (réservées à votre chat) et d'autres communes (il vous accepte chez lui), le chat balise les chemins menant de l'une à l'autre.
Les griffades relèvent d'un comportement inné. Elles sont un moyen d'indiquer sa présence, et sont plus volontiers réalisées sur un matériau sur lequel elles seront visibles : vos tapisseries, votre canapé… Vous êtes sur sa route !

Toutes ces observations nous conduisent à cette conclusion : les chats n'ayant pas accès à l'extérieur doivent avoir un agencement de l'espace adapté à leur mode de vie.

« SON » APPARTEMENT

Pour avoir une première impression du bien-être de votre chat, vous devez repérer **où vous avez placé sa litière, son couchage, sa gamelle. Où préfère-t-il jouer ? Qu'a-t-il marqué ?** Vous devez réfléchir s'il marque la tapisserie à un seul endroit, s'il sort la nourriture de sa gamelle…

Il ne faut pas vous demander s'il est préférable que votre chat sorte ou non dehors, mais plutôt s'il s'est bien adapté à l'environnement dans lequel il vit : vous devez adapter votre « chez-vous » aux besoins de votre chat en respectant ses instincts, mais sans que cela représente une contrainte pour vous.

Pour améliorer le bien-être de votre chat s'il n'a pas accès à l'extérieur, il faudra aménager l'espace de vie selon ses besoins en respectant les vôtres car, rappelons-le, il habite chez vous et non le contraire.

Et si votre chat a la possibilité de sortir, cet aménagement de son lieu de vie lui permettra également de ne pas décimer la population d'oiseaux, puisqu'il aura satisfait ses instincts de chasse chez vous grâce au jeu.

COMMENT VOTRE CHAT UTILISE-T-IL L'ESPACE ?

Il est fondamental de savoir comment votre chat balise actuellement son espace et comment il l'utilise. Répondre au quiz ci-contre vous permettra d'adapter et de personnaliser l'enrichissement de l'environnement à votre chat.

Lise et Loulou, chat européen de 5 ans

« Dans mon ancien appartement, Loulou grattait la porte d'entrée, en bois. Lorsque j'ai déménagé, j'ai collé au mur, près de la porte d'entrée du nouvel appartement, une planchette en bois non traité pour que Loulou conserve ses repères et ses habitudes. Il gratte désormais "sa" planchette et n'a jamais rien griffé d'autre. »

QUIZ

Comment votre chat utilise-t-il l'espace ?

Comment est votre chat avec vous ?

Cela montre comment il gère son espace mêlé au vôtre.
Vous vous asseyez sur un fauteuil :

- ☐ Il saute sur vos genoux → il confond son espace et le vôtre
- ☐ Il reste là où il était → il a SON espace
- ☐ Il vient se frotter à votre cheville → il vous montre que vous êtes sur SON espace

Où se trouve votre chat lorsqu'il est actif ?

Cela vous indique s'il sépare bien ses différentes zones d'activité.

- ☐ Il est sur une fenêtre → il a SON espace
- ☐ Il est par terre → il vous montre que vous êtes sur SON espace
- ☐ Il saute sur tous les meubles → il confond son espace et le vôtre

Où se trouve votre chat lorsqu'il dort ?

Cela vous indique s'il sépare bien ses différentes zones d'activité.

- ☐ Il est sur votre lit → il confond son espace et le vôtre
- ☐ Il est en hauteur → il a SON espace
- ☐ Il est sur le rebord d'une fenêtre → il a SON espace

Où se trouve votre chat le plus souvent ?

- ☐ À un poste d'observation → il reproduit l'affût de la chasse
- ☐ En hauteur → il a une bonne activité d'observation
- ☐ Au niveau du sol → il a du mal à se positionner chez vous
- ☐ Sur un lit → il a déterminé une zone de repos
- ☐ Dans une cachette → il se considère plutôt comme une proie et son espace n'est pas rassurant

TESTEZ LA PERSONNALITÉ DE VOTRE CHAT

Parmi les chats de compagnie, seulement 4,5 % sont des chats « de race » et, s'ils demeurent des chats « domestiques », ils n'ont pas été spécifiquement sélectionnés pour un caractère particulier, qu'il s'agisse de la tolérance d'un lieu de vie exigu ou de la présence de congénères.
Qu'il soit donc racé ou non, votre chat a son caractère et peut se classer dans les intrépides ou les timides.

Trois types de personnalités existent chez le chat : le chat « intrépide » et le chat « timide » :

- **Le chat « intrépide »** entretient généralement de très bonnes relations avec son humain et a tendance à interagir également avec des êtres non familiers et à aller explorer la nouveauté, aussi bien les objets que les individus.
- **Le chat curieux** est tout en réserve ! Il observe de loin puis s'approche. C'est un « intellectuel », il évalue la situation puis estime les risques. Un nouvel objet dans la maison ? Il le regarde de loin, s'approche recule, s'approche à nouveau, donne un léger coup de patte dessus. Il recueille de nombreuses informations, les analyse et agit !
- **Le chat « timide »** se laisse peu approcher et les interactions sont moins nombreuses qu'avec les chats ayant le premier type de personnalité. Avec un chat timide, l'enrichissement doit être progressif afin qu'il ne ressente pas de stress face à tant de nouveautés.

Vous avez cerné le caractère, le comportement et le niveau de bien-être de votre chat, voyons comment lui proposer encore mieux !

QUIZ

Testez la personnalité de votre chat

CURIOSITÉ

Mettez un objet derrière lui

A. Il sursaute en le voyant
B. Il l'a senti et se retourne doucement
C. Il l'a vu, s'en éloigne pour mieux l'observer

AUDACE

Mettez un sac en papier dans la pièce

A. Il se met en hauteur pour le regarder
B. Il s'approche mais ne rentre pas dedans
C. Il fonce dans le sac

PROPENSION AU JEU

Lancez une boulette de papier devant lui

A. Il la regarde s'éloigner
B. Il court après mais reste à distance
C. Il se secoue le derrière et fonce dessus en sautant

RELATION À LA NOURRITURE

Secouez le paquet de croquettes

A. Il tend l'oreille
B. Il arrive d'un pas assuré
C. Il accourt et vous monte sur les jambes

VOCALISES

Enfermez-le dans une pièce seul

A. Il ne dit rien
B. Il essaie de voir ce qui se passe en explorant la pièce et en émettant de petits miaulements
C. Il miaule fort et gratte à la porte

RÉSULTATS

Majorité de A : votre chat est timide
Majorité de B : votre chat est curieux
Majorité de C : votre chat est intrépide

LE CAS PARTICULIER DU CHATON

Un cas particulier est l'accueil du chaton. Voici quelques conseils pour lui présenter les lieux et lui apprendre à les respecter.

Les chatons doivent être âgés de 8 à 12 semaines au minimum avant d'être séparés de leur mère, pour se sociabiliser normalement. Cette période est essentielle pour son avenir : un chaton séparé trop tôt de sa mère est susceptible de développer des troubles des apprentissages et/ou du comportement. Oui, un chaton est craquant, mais vous devez prendre en compte les besoins de votre animal et le laisser avec sa mère le temps nécessaire !

ACCUEILLIR UN CHATON

Avant son arrivée, vous avez préparé tout le nécessaire pour que le chaton retrouve ses différents « champs d'activité » (élimination, repos, alimentation), avec la litière, les gamelles et un lieu de couchage (bien qu'il en investisse sûrement plusieurs : votre lit ou votre canapé, par exemple).

Avant son arrivée chez vous, il peut être judicieux de diffuser des phéromones afin d'amorcer un climat de confiance dans son nouveau foyer, encore inconnu pour lui. Ces phéromones synthétiques lui donneront l'impression d'avoir déjà déposé des marques d'apaisement dans cet environnement.

Lors de son arrivée, laissez-le explorer à son rythme et ne le sollicitez pas trop. Si vous habitez dans un grand espace, il peut être préférable de le placer dans une pièce fermée à son arrivée afin qu'il prenne d'abord ses marques sur un petit territoire pour être plus à l'aise et explorer par la suite l'ensemble du territoire.

Guillaume et Plume, chatte européenne de 18 mois

« Nous avons eu Plume très jeune, à peine 1 mois. C'est une petite chatte adorable, mais elle nous mordille les mains sans arrêt, pour jouer mais surtout pour nous signifier, je crois, son attachement. La personne qui nous l'a donnée n'aurait jamais dû la séparer de sa mère si jeune. Mais j'ignorais alors l'importance de la période de sociabilisation chez le chat. »

L'ÉDUCATION

Il s'agit surtout de prendre de bonnes habitudes et de renforcer les acquis, car la période dite « sensible » est quasiment terminée à 2 mois. Toutefois, si les conditions du milieu sont excellentes, cette période peut s'étendre jusqu'à 15 semaines.

Pour un chaton, le jeu est une méthode éducative : entraînement à la motricité et à l'habileté, règles pour la sociabilisation, méthodes de chasse, prise de confiance.

Pour un chat adulte, le jeu permet de corriger certains problèmes de comportement et d'améliorer le bien-être quotidien.

Quel que soit l'âge de votre chat, multipliez les contacts, toujours dans un contexte positif, avec toutes sortes de bruits, d'objets, mais également de rencontres avec des personnes différentes et avec d'autres espèces animales.

Si le contexte n'est pas favorable, ou si le chat n'est pas détendu, évitez le contact pour ne pas provoquer d'expérience négative.

Les « bonnes règles du jeu félin » participent à la prévention des agressions. L'humain doit jouer avec des jouets adaptés et non avec une partie de son corps (mains, pieds…) pour que le chat fasse bien la différence. Le jeu exclut la douleur et on interrompra immédiatement l'activité ludique si le jeu dégénère.

CE QUE VIVRE EN APPARTEMENT SIGNIFIE POUR VOTRE CHAT

Voilà ce que vous proposez au départ à votre chat (sans vouloir mal faire, bien sûr) : un espace restreint ; une alimentation différente et totalement fournie (rationnée, sans qu'il ait à faire quoi que ce soit pour l'obtenir) ; une relation permanente avec l'homme ; des relations sociales modifiées. Que de contraintes imposées par cette vie chez vous, mais aussi que de solutions pour le rendre heureux !

L'adaptation de votre chat chez vous est un véritable challenge pour lui : faites en sorte qu'il le gagne !

LES CONTRAINTES INDUITES PAR UN MODE DE VIE EN MILIEU CONFINÉ

Vous l'avez bien compris : dans la nature, le chat s'organise très bien. Mais comme il vit chez vous, vous devez prendre en compte cette « privation de liberté » et ses éventuelles répercussions.

LA RESTRICTION DE SURFACE ET LE RYTHME DE VIE

En appartement, votre chat voit son domaine vital arbitrairement défini : il y a des murs et ce n'est pas lui qui les a mis là, alors que dehors, c'est lui qui dessine les murs avec son urine !
Dans son domaine vital, le chat délimite des aires spécifiques d'activité dont la localisation dépend des conditions environnementales : par exemple, son aire de repos peut varier au gré de la course du soleil, de la température…
Les aires de repos, d'isolement, de nourriture et de jeux sont intimement liées et la vie en appartement peut parfois entraîner une « confusion » entre ces différentes aires : si vous mettez la gamelle à côté de la litière dans la cuisine, c'est très pratique pour vous, mais perturbant pour votre chat : il ne sait plus où il en est !

Tout aménagement non conforme aux exigences éthologiques du chat peut constituer une source de mal-être.
Il n'existe pas de normes de bien-être pour l'espace alloué à un chat vivant en maison ou appartement, mais il semblerait que la restriction d'espace soit bien tolérée, à condition que le chat puisse aménager son territoire en plusieurs champs d'activité : **il n'est pas obligatoire d'avoir un 200 m² pour avoir un chat, il faut simplement lui proposer un aménagement naturel :** un lieu pour dormir, un pour jouer, un pour uriner…
Cependant, un appartement de deux pièces s'impose comme un minimum pour y accueillir un chat : les aires d'alimentation et d'élimination doivent être suffisamment distantes l'une de l'autre.

Le chat qui vit en maison ou appartement se retrouve contraint de vivre en relation étroite avec son humain. Or les rythmes humain et félin ne sont pas synchronisés. Les chats suivent donc le rythme des humains et passent plus de temps à dormir : il faut donc veiller à leur « organiser » des activités de jour (de préférence !). Nous verrons plus loin quels jouets lui proposer.

L'ABSENCE DE PRÉDATION ET LES STIMULATIONS RESTREINTES

Le chat qui n'a pas la possibilité de sortir ne peut pas chasser. Il va donc consacrer l'essentiel du temps normalement dédié à la chasse, à l'observation et au jeu.

Si l'environnement de votre chat ne lui permet pas d'exprimer ces comportements d'observation et de jeu, cela risque d'être une source de mal-être.

Le chat va alors chercher des activités de substitution :

- il peut manger trop et donc grossir ;
- il peut vous réclamer sans cesse ;
- il peut également se lécher sans cesse, et ce jusqu'à l'automutilation.

À savoir

Votre chat sera moins stressé si vous avez un rythme de vie un minimum régulier : ainsi, il pourra savoir ce qui va arriver : heure des repas, temps de repos sans personne, périodes de vie commune avec vous…

LE MODE DE DISTRIBUTION ALIMENTAIRE

Les chats privés de chasse vont avoir tendance à augmenter leur prise alimentaire.

On décide souvent de calquer l'alimentation de son chat sur son mode de vie (1 à 3 repas par jour).

La mise à disposition en libre-service de croquettes semblerait plus adaptée mais pose problème chez les chats ayant des difficultés à réguler leur prise alimentaire.

Le non-respect des besoins alimentaires, le mode de distribution peu ou pas adapté et l'insuffisance de stimulations environnementales sont autant de contraintes liées au mode de vie en appartement qui prédisposent votre chat à la prise de poids et la perturbation de son rythme naturel — nous verrons comment rendre votre appartement « naturel ».

LES CONTRAINTES SOCIALES

La restriction de l'espace oblige le chat à cohabiter de manière très étroite avec d'autres individus au sein de son domaine de vie : vous, votre famille, d'autres animaux.

LA COHABITATION FORCÉE AVEC L'HOMME ET LES CONTACTS IMPOSÉS

Les chats qui, tout jeunes (pendant la période dite de sociabilisation, allant de 6 semaines à 2 mois environ), n'ont pas suffisamment été en contact avec l'homme auraient tendance à manifester des comportements agressifs. Avec certains de ces chats mal sociabilisés, seuls les contacts restreints à la distribution de nourriture sont possibles.

Les chats vivant à l'intérieur sont plus susceptibles que les autres de rencontrer des problèmes comportementaux. Ces chats passent plus de temps avec l'homme que ceux ayant accès à l'extérieur, et dans un milieu confiné pauvre, l'humain représente une source importante de stimulations : pour éviter que ne se crée une « dépendance humaine », il faut donc « enrichir » le milieu de vie du chat.

LA COHABITATION AVEC D'AUTRES CHATS

L'organisation sociale naturelle du chat consiste en quelques groupes de femelles dont les domaines vitaux peuvent se recouper, ainsi que des chats solitaires non socialisés aux autres congénères.

Les chats ne montrent pas de mécanismes de réconciliation après un conflit : la seule possibilité est l'évitement ou la tolérance des autres chats : on ne s'excuse pas chez les chats !

Si le milieu de vie est de taille trop réduite, les chats vont alors tenter de s'éviter en diminuant leur activité locomotrice (en évitant de se déplacer/en limitant leurs déplacements). Si l'accès aux différentes aires ne peut se faire que par un seul passage, il peut arriver qu'un chat empêche l'autre d'y accéder, ce qui génère un conflit.

Si vous avez plusieurs chats, le meilleur moyen d'éviter les conflits et les agressions est donc de fluidifier les allées et venues.

En pratique, lorsque vous souhaitez avoir plus d'un chat, il est préférable que les chats aient grandi ensemble durant leur période de sociabilisation.
Si ce n'est pas le cas, il faut laisser la possibilité aux chats de s'éviter et de rester à distance et donc leur proposer des aires de repos, d'alimentation et d'élimination différentes.

COMMENT VOTRE CHAT VIT-IL CE CONFINEMENT ?

LES ÉTATS ÉMOTIONNELS NÉGATIFS DE VOTRE CHAT : FRUSTRATION, ANXIÉTÉ, PEUR

Il existe plusieurs types d'état émotionnels qualifiés de négatifs dans lesquels peut se trouver votre chat : la frustration, l'anxiété et la peur. Pour évaluer le bien-être de votre chat, il faut donc en premier lieu savoir les reconnaître, notamment grâce aux expressions faciales et aux postures corporelles.
Le chat exprime son état émotionnel « négatif » (peur ou anxiété) de deux manières en fonction de son tempérament : l'inactivité ou au contraire une activité exagérée.
Il est donc important de savoir distinguer ces deux types de réponses chez un chat.

Connaître l'état émotionnel de votre chat (anxiété, agressivité…) et la façon dont il le traduit vous permettra de savoir comment enrichir son environnement (donc comment aménager votre appartement), afin d'augmenter son bien-être.

QUIZ

Où en est votre chat émotionnellement ?
Ressent-il des émotions négatives ?
Voici un petit questionnaire qui vous permettra de détecter ce type d'émotions chez lui.

Mange-t-il sans cesse ?

☐ Oui ☐ Non

Se lèche-t-il frénétiquement ?

☐ Oui ☐ Non

Fuit-il au moindre bruit ?

☐ Oui ☐ Non

Présente-t-il des signes d'agressivité même légers envers vous ?

☐ Oui ☐ Non

A-t-il les yeux très souvent dilatés ?

☐ Oui ☐ Non

A-t-il arrêté de faire sa toilette ?

☐ Oui ☐ Non

Miaule-t-il souvent ?

☐ Oui ☐ Non

A-t-il tendance à dormir sans cesse sans jouer ?

☐ Oui ☐ Non

RÉSULTATS

Si votre chat présente au moins 4 de ces 8 signes, son état émotionnel est négatif. Il faut donc vous soucier de son bien-être. Consultez les pages 41 et suivantes pour trouver les solutions adaptées.

VOTRE CHAT EST-IL HEUREUX ?

Le gain d'espace et d'une certaine liberté d'action qu'un accès à l'extérieur offre à votre chat ne doit pas en occulter les inconvénients pour lui : les chats qui sortent sont plus exposés à certaines maladies infectieuses, aux accidents de la voie publique, à des traumatismes comme des chutes, à des combats avec d'autres chats, à des attaques par des chiens ou d'autres animaux, à des empoisonnements, à des intoxications, à un risque de disparition (que l'animal soit volé, perdu, ou qu'il fugue). Un autre inconvénient pour vous est que votre chat va chasser la petite faune sauvage.

À l'inverse, le chat vivant exclusivement à l'intérieur risque davantage d'accidents domestiques, et demeure plus susceptible d'être peu actif et plus enclin à l'obésité si son environnement s'avère peu stimulant. Il souffrira donc de sa « captivité ».

Lorsque les conditions de vie deviennent difficiles dans l'environnement naturel (températures extrêmes, attaques de prédateurs…), les animaux développent des mécanismes d'adaptation.

Toutefois, ces mécanismes d'adaptation peuvent devenir inefficaces lorsque le chat est soumis à des modifications de son environnement pour lesquelles il ne possède pas les adaptations correspondantes : un chat qui ne peut pas se déplacer tranquillement ou qui n'a pas un rythme alimentaire adapté ne peut pas être épanoui.
Le secret est donc de conjuguer liberté d'activité et espace chez vous.

Le bien-être animal : un peu de législation

La législation est basée sur l'éthique et la morale. L'animal a longtemps été considéré comme une marchandise, une machine dépourvue de sensibilité.
Depuis la **loi « Nature »** (10/7/1976), l'animal est défini par la loi comme un **« être sensible »**. Depuis la parution de cette loi, les propriétaires d'animaux de compagnie ont le devoir de « placer l'animal dans des conditions compatibles avec les impératifs biologiques de son espèce ». Votre chat chasse, dort… Il doit pouvoir le faire chez vous.

Les 5 libertés fondamentales de l'animal selon le principe du « Farm Animal Welfare Council » :

1. absence de faim, soif, malnutrition ;
2. présence d'abris appropriés, confort ;
3. absence de maladies et blessures ;
4. expression de comportements normaux ;
5. absence de peur et d'anxiété.

Les trois premières libertés concernent des besoins physiologiques, les deux dernières, les émotions et la sensibilité des animaux et reposent sur l'éthologie au sens propre (étude des comportements) : il faut donc bien connaître les besoins de votre chat au naturel pour les satisfaire chez vous.

COMMENT ÉVALUER LE BIEN-ÊTRE DE VOTRE CHAT ?

Le bien-être de l'animal englobe à la fois l'aspect physique et psychologique. Le bien-être s'oppose au mal-être : pour évaluer le bien-être, on évalue le mal-être. Si l'animal n'est pas en mal-être, on dira qu'il est en condition de bien-être.

Les deux composantes du bien-être sont :

- physiologique : aspect sanitaire, prévention de la douleur ;
- psychologique : interaction avec l'environnement, expression comportementale.

Il n'existe pas de critères réels du bien-être, c'est pourquoi il est compliqué à évaluer.

Le concept de bien-être est basé sur la relation dynamique entre l'animal et son environnement, qui doit donc faciliter et contribuer à ce bien-être. Et c'est à vous, humain, de « penser » l'environnement de votre chat, de l'aménager pour lui. Bien entendu, vous, en tant qu'humain, devez faire preuve de bien-traitance envers votre chat, car vous faites partie de son environnement !

ANALYSEZ LES COMPORTEMENTS DE VOTRE CHAT

Pour votre chat, exactement comme pour vous, le temps passé à des activités dans la journée est incompressible : 24 heures.
Lorsqu'il doit se nourrir de lui-même, sans profiter de ressources alimentaires fournies par l'homme, le chat passe l'essentiel de sa journée, lorsqu'il ne dort pas, à chasser.

Le mode de vie confiné impacte la répartition des activités quotidiennes des chats, car quand on prend du temps pour une activité, c'est au détriment d'une autre activité : privé de la nécessité de chercher leur nourriture, voire parfois de la liberté d'exercer leur comportement de prédation (un chat repu pouvant continuer à chasser), de nombreux chats de compagnie sont en manque d'activité stimulante : ils s'ennuient.

À savoir

Chez le chat domestique, 50 à 60 % du temps seraient consacrés au sommeil, 20 % à la chasse et au jeu, 20 % au toilettage et moins de 5 % à l'élimination, l'ingestion et la reproduction.
Les chats n'ayant pas accès à l'extérieur dorment plus, jouent plus, mangent plus souvent que ceux y ayant accès et se déplacent moins que ceux qui peuvent sortir.
Les chats d'intérieur se déplaceraient moins longtemps et moins souvent que les chats ayant accès à l'extérieur mais ils joueraient plus longtemps que les chats ayant accès à l'extérieur.
Les chats en appartement seraient plus actifs la nuit alors que les chats ayant un accès libre à l'extérieur seraient plutôt actifs en journée.

LES BESOINS COMPORTEMENTAUX DU CHAT

Le bien-être et la qualité de vie de votre chat sont directement liés à son environnement : celui-ci lui permet-il d'exprimer son comportement naturel ?
Les chats ont tendance à répondre à un environnement pauvre et peu stimulant par l'inactivité, mais aussi par l'exploration ou le jeu, d'où l'importance du comportement de cachette par exemple : en résumé, votre chat peut choisir de s'ennuyer ou de jouer avec un rien !

Lorsqu'un chat est stressé, le temps passé à se cacher a tendance à augmenter. Il faut alors veiller à laisser au chat la possibilité d'exprimer ce comportement — le bien-être d'un chat stressé qui peut se cacher est supérieur à celui d'un chat qui n'en a pas la possibilité.

L'« ennui » chez votre chat est le résultat d'une incapacité à interagir avec son environnement : votre chat ne doit pas s'ennuyer.
Chez les chats, les facteurs associés à l'« ennui » sont le confinement, le manque d'opportunité d'exercer l'activité de chasse, l'absence de congénères amicaux (chez des chats bien socialisés) et le manque de repères.

Les modifications comportementales à mettre en relation avec le mal-être sont les agressions envers les humains, des comportements destructeurs, une surconsommation alimentaire, l'apathie et des stéréotypies. Les stéréotypies sont des « comportements répétitifs qui n'ont aucun but ou fonction apparents ». Ce sont des indicateurs de mal-être car elles se déclenchent dans des situations de stress, de frustration ou dans les environnements où le chat est incapable d'exprimer le comportement propre à son espèce. Le toilettage excessif, aboutissant à une dépilation et/ou à des automutilations, les attaques d'objets inappropriées, la poursuite de sa propre queue (tournis) et les mutilations sont les stéréotypies les plus fréquentes.

VOTRE CHAT EST-IL STRESSÉ ?

Il existe des indicateurs à la fois physiologiques et biologiques du stress chez le chat.
Le « Cat Stress Score » décrit sept niveaux de stress basés sur des éléments posturaux et comportementaux du chat : il ne se toilette plus, il se cache…

Les sept niveaux de stress sont :

1 = chat complètement relaxé ;
2 = chat légèrement relaxé ;
3 = chat légèrement tendu ;
4 = chat très tendu ;
5 = chat apeuré ;
6 = chat très apeuré ;
7 = chat terrorisé.

Les scores 1, 2 et 3 indiquent tous que le chat n'a pas subi de stress et que son bien-être n'a donc pas été affecté.
Pour le score 4, bien qu'ayant subi un stress, le chat a réussi à s'adapter mais son bien-être a été compromis.
Au score 5, le chat a été incapable de s'adapter à son environnement et son bien-être est de ce fait compromis.
Les scores 6 et 7 correspondent à un stress intense et un bien-être fortement diminué.

Un environnement qui ne garantit donc pas les besoins de votre chat peut s'avérer stressant. Les chats sont des animaux facilement stressés par n'importe quelle modification de leurs habitudes. La modification de leur environnement par l'introduction de nouvelles personnes ou de nouveaux animaux est certainement l'événement le plus stressant dans l'expérience d'un chat.
Mais votre chat possède des ressources suffisantes pour faire face au stress de courte durée et retrouver ses fonctions normales.
Toutefois, lorsque l'animal est exposé au même agent stressant de manière répétitive, chacune des expositions s'ajoute et dépasse rapidement les réserves qui permettent à l'animal de retrouver ses fonctions biologiques normales.

À VOUS D'AGIR !

Le bien-être animal est en relation avec sa capacité à s'adapter à son environnement, c'est-à-dire aux efforts que l'animal doit fournir pour s'adapter à son milieu et au succès ou non de ces tentatives : ne lui demandez pas trop d'efforts, aménagez son espace afin qu'il dépense son énergie à vivre dedans et non à lutter pour ne pas stresser.
Les réponses et le succès d'adaptation de l'animal dans son milieu dépendent de l'environnement, des caractéristiques génétiques de l'animal et de son expérience. Afin d'améliorer le bien-être de votre chat, il semble plus facile d'agir en premier sur son milieu de vie : votre appartement.

À retenir

L'enrichissement de l'environnement constitue donc un moyen direct mais également indirect en diminuant le stress dû au milieu confiné, de prévenir l'apparition de maladies. Il permet à l'animal d'avoir un contrôle sur son environnement, la possibilité de gérer le stress et de retrouver un équilibre : le chat possède les adaptations nécessaires pour faire face aux défis posés par son environnement.
Un chat souffrant d'une pathologie modifie son comportement de la même manière qu'il répond à un environnement pauvre : il devient inactif et inhibe ses comportements de maintenance comme la prise alimentaire, le toilettage et l'élimination.
Conserver le chat domestique dans un milieu enrichi, stimulant, qui encourage l'expression de comportements propres à l'espèce, va améliorer son niveau de bien-être.
Il est donc important de pouvoir détecter rapidement les changements de comportements afin de diagnostiquer plus précocement une pathologie ou un mal-être.
Cela permet également d'augmenter la complexité du milieu de l'animal, mais aussi la capacité de celui-ci à faire face à de nouvelles expériences.
Le rôle principal de l'enrichissement du milieu est de proposer des choix qui permettent à l'animal de contrôler en partie son environnement.

QUIZ

Évaluez l'activité de votre chat, donc son degré de bien-être chez vous

Lorsqu'il joue :

- ☐ Il est énergique et très vif : il suit « la proie » et n'hésite pas à la chasser.
- ☐ Il manque d'intérêt : il se couche et se contente de regarder son jouet s'agiter sous ses yeux en donnant quelques coups de pattes quand « la proie » passe sous son nez…

Son apparence :

- ☐ Il a un pelage lisse et brillant qu'il toilette avec soin.
- ☐ Il se néglige… son pelage est terne.

Lorsqu'il se toilette :

- ☐ Il le fait jusqu'au bout des moustaches. Appliqué, il se contorsionne pour ne pas oublier un seul poil !
- ☐ Il fait le fainéant… il lèche seulement les parties les plus accessibles.

Mais à quel point se toilette-t-il ?

- ☐ Il toilette toutes les zones.
- ☐ On ne l'arrête plus ! Il en perd même parfois ses poils et s'irrite la peau.

Lorsqu'il grimpe sur vos meubles :

- ☐ Il saute à la hauteur visée sans hésitation ! Pas de détour pour accéder à son objectif.
- ☐ Il passe par tous les paliers possibles (chaises, tabourets, canapé) avant d'atteindre le point culminant.

Et comment en descend-t-il ?

- ☐ Comme il est monté : en une fois.
- ☐ Il hésite un peu et finit par reprendre les « escaliers ».

Quand il va aux toilettes :

- ☐ Il se glisse dans sa litière comme une lettre à la poste.
- ☐ Il rentre avec difficulté dans son bac à litière et il lui arrive de faire ses besoins en dehors.

Lorsqu'il monte les escaliers :

- ☐ D'une traite ! À pas de velours mais à vitesse grand V.
- ☐ Il préfère prendre son temps et faire des pauses entre le départ et l'arrivée.

Et pour les descendre ?

- ☐ Aussi vite qu'il les a montés.
- ☐ Il hésite… et quand il se décide, il lui arrive d'être maladroit.

Son caractère avec les autres :

- ☐ Il apprécie d'être en bonne compagnie et ne rechigne pas lorsqu'on le grattouille.
- ☐ Il préfère se cacher et espionner plutôt que d'être vu et touché.

RÉSULTATS

Attention, un manque d'entrain dans ses activités, un pelage mal entretenu, une malpropreté et une mise à l'écart sociale peut être révélateur de douleurs ou d'un mal-être.
Dans un premier temps, n'hésitez pas à demander un avis à un vétérinaire pour écarter toute cause médicale.

COMMENT ENRICHIR L'ENVIRONNEMENT ET LE QUOTIDIEN DE VOTRE CHAT ?

Le milieu est l'espace d'expression du comportement de l'animal. Le milieu et l'environnement sont donc indissociables de l'individu et de son comportement. Vous ne pouvez donc pas dissocier votre chat de l'endroit où il vit (chez vous !) et de son comportement à l'état naturel. L'enrichissement du milieu est très important pour l'équilibre de votre chat : c'est ce qu'on appelle l'éco-éthologie. Ce terme est issu de la juxtaposition des mots « écologie », l'étude de l'interaction entre un organisme et son environnement et « éthologie », l'étude du comportement animal dans l'environnement.

LE RECADRAGE ÉCO-ÉTHOLOGIQUE, KESACO ?

Le recadrage éco-éthologique sert à donner à votre chat un mode et un milieu de vie qui respectent ses exigences éthologiques et ses réels besoins naturels. Le chat est un animal territorial qui organise son milieu de vie en différents champs spécifiques. Chaque zone demande un aménagement propre et est délimitée par un marquage particulier : bien sûr, vous n'allez pas accepter qu'il griffe le canapé ou qu'il urine sur les murs pour bien délimiter son espace, il existe d'autres moyens ! Il faut lui permettre de reproduire au maximum ses activités naturelles chez vous.

RESPECTER L'UTILITÉ DU MARQUAGE

La première règle à respecter est le marquage du chat à l'intérieur du territoire. Votre chat dépose des phéromones un peu partout et lui les « voit ». Ce balisage lui permet de se repérer et de circuler sereinement entre ses différentes aires de vie.

Par exemple, bouger les meubles de place, changer la décoration intérieure, nettoyer trop fréquemment ou retirer le griffoir usé, sont des actions hautement anxiogènes pour votre chat car il ne retrouve plus ses marques. C'est comme si on vous mettait les yeux bandés dans un nouvel endroit.

En pratique

Il faut donc bien délimiter les différents espaces afin qu'il puisse se les approprier sans empiéter sur votre domaine vital :

- Un bac par chat.
- Nettoyer la litière tous les 2 à 3 jours pour laisser une odeur familière.
- Choisir une litière « naturelle ».
- Mettre une couche épaisse afin qu'il puisse creuser.
- Choisir un bac suffisamment large afin qu'il puisse tourner dedans.
- Ne pas le regarder. Ne pas le surprendre.
- Ne pas retirer les crottes dès qu'il a fini !

ÉTONNEZ VOTRE CHAT !

Proposez à votre chat de la nouveauté : il ne doit pas se lasser.

Dans la vie quotidienne avec votre chat, vous créez sans vous en rendre compte des rituels immuables. Le plus courant est celui de

la demande de nourriture. Quand votre chat a attire votre attention, sa motivation n'est pas nécessairement alimentaire.
Si vous avez interprété ce signal comme une demande de nourriture, vous avez offert au chat une récompense alimentaire et renforcé ce comportement. Vous avez alors transformé une sollicitation banale en rituel de demande de nourriture.
Ces rituels, ainsi que tous les événements habituels, rassurent généralement les chats, rendent leur environnement prévisible et donc très ennuyeux.

À savoir
Dans un milieu prévisible, l'animal évite de nombreuses situations stressantes, mais tous les stress ne sont pas néfastes et plus un milieu est prévisible, plus l'animal est susceptible de sombrer dans l'ennui : étonnez-le !

L'ESPACE : DE L'ESCALADE, DES CACHETTES

Le répertoire comportemental de votre chat inclut le saut et l'escalade, il a donc tendance à rechercher des zones de sécurité en hauteur.
En fournissant des cordes, des abris en hauteur, des arbres à chat, l'espace vertical est mis en valeur, offre de nombreux points de vue, et participe à la complexification de l'environnement en donnant l'opportunité aux chats d'être plus actifs ou de se reposer à l'abri en hauteur.
Il a été montré que l'ajout de lieux permettant au chat de se cacher avait un impact positif sur son adaptation à un nouvel environnement.

Martin et Bagheera, chatte européenne de 10 ans
« Nous habitions en pavillon, mais Bagheera sortait peu, elle était souvent dehors sur le rebord de la fenêtre mais ne s'éloignait jamais. Nous avons déménagé en appartement en pensant que cela ne serait pas un problème pour elle puisqu'elle ne sortait pas beaucoup même si elle le pouvait. En fait, elle a complètement déprimé (elle ne se lavait plus), elle restait le nez collé à la fenêtre toute la journée. Il a suffi d'enlever les rideaux (qui lui cachaient la vue !) et de lui installer un panier en hauteur pour qu'elle s'habitue à son nouvel environnement. »

En pratique

Vous pouvez construire un cube avec de multiples plateformes avec de simples boîtes placées dans les angles et le long des murs, et divers abris en bois. Les chats auraient tendance à utiliser plus fréquemment les espaces en hauteur que ceux situés au sol.

Lorsque plusieurs chats vivent ensemble, il faut aménager des « coins cachettes », en laissant des portes ouvertes pour permettre la fuite lors de conflits intraspécifiques. Utilisez des cartons !

LES ZONES DE REPOS : DE L'ISOLEMENT EN HAUTEUR ET DE LA VUE !

Les zones de repos doivent disposer de lieux de couchage confortables. Les chats semblent préférer les matériaux en fibre de polyester aux serviettes en coton, au carton ou en encore au bois, comme substrat de lieu de couchage. Les champs d'isolement doivent être situés en hauteur et le chat doit voir ce qui se passe dehors.

> ***Arnaud et Gobi, chartreux mâle de 6 ans***
> « Un ami nous a offert pour le premier anniversaire de Gobi un tunnel en toile. Une merveille ! Sauf qu'au lieu de passer dedans, de sortir, de rentrer (comme il est prévu sur la photo), Gobi dort dedans.
> Cela lui fait une cachette parfaite, il surveille tout, et de temps en temps, il cache dedans une boulette de papier qu'il jette dehors puis qu'il rapporte dans le tunnel. Gobi a inventé son propre jeu ! »

En pratique

Proposez à votre chat les mêmes abris que dans la nature et surtout la possibilité de les « utiliser » comme il le fait dans la nature : pour tout voir, épier, surveiller !
- Mettre un arbre à chat.
- Laisser une chaise près de la fenêtre.
- Poser un coussin sur le rebord d'une fenêtre.
- Disposer une ou plusieurs étagère(s).

Tout cela en dehors des zones de passage.

SERVICE NON-STOP

Le chat consomme de nombreux petits repas tout au long de la journée car il chasse toute la journée. Il lui faut donc une alimentation quantifiée et adaptée à son besoin énergétique mais en libre accès.

En pratique

Proposez à votre chat de manger comme s'il avait chassé. Vous pouvez également combiner recherche de nourriture et activité ludique, en cachant des croquettes dans des bouteilles vides percées ou en achetant des balles qui distribuent de la nourriture quand on les fait rouler.

L'ENRICHISSEMENT SENSORIEL : ADAPTER LES STIMULATIONS À SON ENVIRONNEMENT

L'ENRICHISSEMENT DU MILIEU COMME VECTEUR DE BIEN-ÊTRE

Souvenez-vous : les stratégies d'enrichissement doivent encourager la réalisation de comportements propres à l'espèce, améliorer les capacités d'adaptation aux défis de l'environnement, permettre l'expression du répertoire comportemental et une utilisation positive de l'environnement, en prévenant l'apparition de comportements anormaux.
Des recherches ont montré que l'enrichissement de l'environnement augmente la période d'activité des animaux et permet de lever l'inhibition de l'activité provoquée par un environnement mal adapté. L'enrichissement de l'environnement stimule l'activité générale et notamment l'activité physique des animaux.
Il est fondamental de connaître et comprendre les besoins environnementaux et le répertoire comportemental du chat domestique, pour permettre la mise à disposition d'un environnement garantissant le bien-être de l'animal mais aussi les besoins spécifiques de votre chat. En effet, si Mistigri est d'un naturel passif, inutile de lui mettre un parcours de jeux tous les 2 mètres. L'enrichissement doit s'adapter aux spécificités de votre chat.

FOURNIR UN ENVIRONNEMENT ADAPTÉ

Votre chat doit bénéficier d'un espace suffisant : attention, il ne s'agit pas forcément de mètres carrés, mais comme nous l'avons vu, de possibilité de séparation et de balisage des différentes aires : repos, alimentation, jeu…

En pratique

Récapitulons ! Pour que votre chat soit épanoui, il faut lui fournir :

- Une vue sur l'extérieur : un support pour se mettre à la fenêtre : chaise, carton…
- Une litière cachée derrière une porte.
- Un jouet accroché à une porte.
- Une gamelle d'eau derrière une autre porte.
- Des croquettes dissimulées un peu partout.
- Des petits abris.

QUIZ

Vous avez un studio ? Testez votre espace : est-il adapté à votre chat ? Cochez la ligne qui correspond à votre situation.

Où se trouve sa litière ?

- ☐ Dans vos toilettes
- ☐ Dans le coin cuisine
- ☐ Sous la table
- ☐ Dans l'entrée
- ☐ Dans le couloir
- ☐ Dans un coin, un peu caché

Où se trouve son panier ?

- ☐ Sur votre lit
- ☐ Sur le canapé
- ☐ Par terre
- ☐ Un peu en hauteur
- ☐ Il n'en a pas

Qu'a-t-il comme jouet à sa disposition ?

- ☐ Rien
- ☐ Une boule de papier
- ☐ Un tunnel
- ☐ Une corde accrochée à une poignée
- ☐ Un élastique
- ☐ Une balle de ping-pong

Où se trouve sa gamelle ?

- ☐ À côté de sa litière
- ☐ Sous la table de la cuisine
- ☐ Devant le réfrigérateur
- ☐ Dans votre assiette !
- ☐ Dans un coin calme de la cuisine
- ☐ Sur le plan de travail

SOLUTIONS ET EXPLICATIONS

Où se trouve sa litière ?
~~Dans l'entrée/Dans le couloir~~ : ce sont des lieux trop bruyants, il va se dépêcher de faire ses besoins. Or il a besoin de temps.

Où se trouve son panier ?
~~Par terre~~ : il a besoin d'être en hauteur pour être au courant de tout !
~~Il n'en a pas~~ : il lui faut un endroit pour se poser : son champ de repos.

Qu'a-t-il comme jouet à sa disposition ?
~~Rien~~ : votre chat a absolument besoin de jouer (pour chasser !)
~~Un élastique~~ : surtout pas car il risquerait une occlusion.

Où se trouve sa gamelle ?
~~À côté de sa litière~~ : non ! Il ne veut pas manger à côté de ses toilettes.
~~Dans votre assiette~~ : non ! Il a une gamelle à lui.

LA MUSIQUE ? LA TÉLÉ ?

De nombreux chercheurs se sont penchés sur l'intérêt de stimulations visuelles et auditives, en tant que stratégies d'enrichissement environnemental chez le chat domestique.
L'utilisation de stimulations auditives chez les animaux hébergés dans un environnement restreint est courant depuis quelques années, notamment dans les refuges.
L'utilisation de musique classique a montré une influence positive sur le bien-être.

D'autres études se sont penchées sur l'intérêt des images vidéo préenregistrées comme moyen d'enrichissement visuel. On a noté que les chats étaient plus attentifs lorsque des petites proies (oiseaux, petits rongeurs) ou des congénères étaient présents sur les images. En revanche, il n'a pas été possible de déterminer les images les plus attractives, les images de petites proies et de congénères ayant été diffusées conjointement. Des chats ont bien été observés en train de regarder la télévision dans ces études, mais il est difficile de connaître l'impact sur le bien-être d'une telle stimulation.
Une étude réalisée sur une population de chats d'intérieur suggère, d'après les observations de propriétaires, l'attrait tout particulier des chats pour les oiseaux et les petits mammifères sauvages qu'ils observent par la fenêtre.
Lorsque l'animal ne peut atteindre ou interagir avec la source de stimulation (image vidéo, mouvements de proies par la fenêtre), on note chez lui une frustration.

LES PLANTES

L'environnement olfactif est connu pour avoir un impact important sur le bien-être. Il existe certaines odeurs qui ont une influence sur le bien-être physiologique et psychologique des animaux.
Les chats sont sensibles aux effets de certaines plantes. Des objets visant à stimuler l'olfaction, notamment des jouets imprégnés de cataire ou de valériane, sont disponibles en animaleries.

La **cataire** (*Nepeta cataria*), une plante aromatique appartenant à la famille des Lamiacées (à laquelle appartiennent aussi les différentes espèces de menthes), est une plante que les chats apprécient particulièrement. Elle est aussi appelée « herbe-aux-chats » et a un effet attractif et hallucinatoire sur les chats, car elle contient une substance, le népétalactone, qui agirait au niveau du système nerveux. Elle posséderait un résultat similaire à celui provoqué par les phéromones sexuelles libérées pendant la parade d'accouplement.
Au contact d'objets imprégnés de cataire, les chats expriment des réactions comportementales caractéristiques : ils reniflent puis mordillent l'objet imprégné, se frottent dessus puis le roulent sur le sol, le conservent entre les pattes puis le labourent avec leurs postérieurs. La cataire les excite : ils peuvent aussi se rouler par terre, faire des bonds, courir…

La **valériane** (*Valeriana officinalis*) est l'autre plante que les chats adorent. Comme la cataire, c'est une plante qui a un effet euphorisant et relaxant sur les chats.
Ces deux plantes sont utiles pour aider votre chat à surmonter une situation délicate (pour l'habituer à son sac de transport, par exemple).
Vous pouvez saupoudrer un peu de plantes sur le griffoir ou sur l'arbre à chat pour encourager le vôtre à y faire ses griffes.

Si le chat aime certaines plantes, attention, certaines autres, nombreuses, sont toxiques pour lui. Choisissez soigneusement vos plantes d'intérieur. Banissez le lys, le muguet et le poinsettia, les trois les plus dangereuses pour le chat (troubles digestifs mais aussi neurologiques). Ne laissez jamais votre chat et un bouquet de fleurs dans la même pièce sans surveillance : dans le doute, abstenez-vous de lui faire courir un danger !

LA PHÉROMONOTHÉRAPIE

Le chat vit dans un « monde d'odeurs » qu'il dépose au gré de différents marquages.
Lors de marquage facial, le chat peut déposer cinq types de phéromones différents, dont trois fractions seulement ont été identifiées :
- la fraction F2 est émise lors de l'excitation sexuelle ;
- la fraction F3 permet le marquage et la reconnaissance du territoire ;
- la fraction F4 est déposée sur les êtres familiers reconnus comme « amis » par le chat.

Ces différentes phéromones influencent le comportement du chat, d'où l'idée de les utiliser lors des thérapies comportementales. Actuellement, seules les fractions F3 et F4 ont fait l'objet d'une synthèse industrielle et d'une commercialisation.
Le Féliway® contient la phéromone de synthèse analogue de la fraction F3, il est commercialisé sous forme de spray et de diffuseur. Ce produit est utilisé pour recréer le « balisage territorial olfactif » du chat, en vaporisant ou en diffusant ces phéromones dans le milieu de vie. Ce balisage a des vertus anxiolytiques et antidépressives, il permet de diminuer les réactions émotionnelles de la peur et de relancer la prise alimentaire et le comportement exploratoire.

Le marquage facial est incompatible avec le marquage urinaire ou le marquage par griffades et le Féliway® permet de diminuer, au moins dans les endroits traités, ces marques plus gênantes pour le propriétaire.
Le Félifriend® contient la phéromone de synthèse analogue de la fraction F4, il est commercialisé sous forme de spray.
On vaporise un peu de produit sur les individus inconnus du chat afin qu'il les reconnaisse comme « familier » et « ami », sans les craindre. Cette phéromone favorise les interactions sociales et de ce fait empêche la survenue de possibles agressions. Le Félifriend® stimule les contacts sociaux. Il sera donc utilisé pour que le chat accepte un nouveau venu (humain ou animal), pour lutter contre les phobies sociales et les troubles de la cohabitation. Le vétérinaire l'utilise aussi souvent lors de la manipulation des chats en consultation.

L'utilisation de « phéromones » synthétiques dans l'environnement comme moyen d'enrichissement du milieu, et donc du bien-être du chat, est un domaine où de nombreuses recherches empiriques ont été conduites. Une utilisation correcte de ces odeurs synthétiques pourrait constituer une stratégie intéressante d'enrichissement dans le cas de chats anxieux ou peureux.

À retenir

Le Feliway® réduirait l'anxiété chez le chat tandis que le Felifriend® augmenterait le nombre d'interactions positives, que ce soit avec des congénères ou des humains.

UN PROGRAMME PRÉCIS

Afin que votre chat ne se lasse pas des systèmes d'enrichissement choisis, il peut être utile d'établir un programme d'enrichissement pour s'assurer qu'il est suffisamment varié, sans pour autant déstabiliser votre chat.
Si les chats apprécient la familiarité d'un environnement connu, ils aiment également les éléments nouveaux. Par exemple, ils se servent

des cartons comme nouveau lieu de couchage, les utilisant à tour de rôle, jusqu'à se désintéresser de tous au bout de 4 jours.
Tout enrichissement du milieu est susceptible d'être moins intéressant pour le chat au fil du temps.

À retenir

Tout programme doit comporter une liste d'objectifs à atteindre et nécessite d'évaluer les besoins de l'animal et de spécifier les comportements attendus.
Une fois en place, le programme devra être évalué régulièrement.
Vous avez prévu de faire jouer votre chat car il s'ennuie : il ne suffit pas de mettre des jouets partout. Il faut observer son attitude, savoir s'il reproduit bien le comportement de chasse : joue-t-il en utilisant toutes les positions de la chasse ?
Si ce n'est pas le cas, il faut trouver la solution pour qu'il utilise le jouet comme une proie : un jouet pour un jouet ne sert à rien.
Toutefois, il n'existe pas de solution idéale et il faut veiller à ce que le « mieux » ne devienne l'ennemi du bien. Les modifications doivent être progressives, ces changements ne doivent pas devenir une source de stress pour l'animal.

Enrichir l'environnement de votre chat peut consister à ajouter un seul objet ou à véritablement réaménager l'espace de vie, toujours dans le but d'améliorer son bien-être et de modifier des comportements. Il faudra donc bien surveiller les modifications de comportement de votre chat pour juger de l'efficacité des changements que vous lui proposez.
Toutes les techniques dont nous avons parlé pour améliorer le fonctionnement biologique de votre chat peuvent être mises en œuvre : il faut que vous soyez prêt à certaines transformations dans votre appartement… Mais ne vous inquiétez pas, vous serez toujours chez vous, mais en compagnie d'un chat équilibré.
Votre objectif est d'augmenter l'étendue et la diversité des opportunités comportementales (chasse, jeu…), de procurer un environnement plus stimulant permettant d'assurer un bien-être psychologique et physiologique à votre chat.
Vous ne pouvez pas espérer d'un chat qu'il s'adapte psychologiquement et physiquement à un nouveau milieu, à de nouveaux objets et sons, à des manipulations par des personnes familières et non familières, lorsqu'il est hébergé dans un environnement pauvre.

Il existe plusieurs types d'enrichissement :

- **Une stimulation sensorielle,** qui consiste à lui fournir un accès à l'extérieur (balcon, véranda), ou à lui offrir la possibilité d'observer depuis des postes en hauteur ou par la fenêtre.
- **Un enrichissement physique** à l'aide de puzzle alimentaire (des croquettes un peu partout) et de sessions de jeux.
- Chez les chats anxieux ou peureux, les possibilités d'enrichissement proposées pour les chats frustrés risqueraient d'être stressantes. Il est donc plutôt conseillé **d'ajouter des lieux pour se cacher en hauteur, d'améliorer la sécurisation de l'espace au sol** en multipliant les points d'entrée et de sorties délimitant les aires de vie.
- L'usage d'**odeurs synthétiques (phéromones)** peut parfois s'avérer utile.

ADAPTEZ SON ESPACE DE VIE

Nous avons déjà parlé des besoins de votre chat au naturel et la façon dont il peut les gérer (ou pas) chez vous. Votre chat est un animal attaché à son territoire (c'est chez vous) qu'il organise en différentes zones ou champs, délimités par des marques visuelles (spot d'urine, griffades…) et/ou olfactives (phéromones). Chaque champ est associé à une fonction bien précise :

- **Les zones d'activité.** Ces zones concernent toutes les activités du chat : jeu, prédation, interactions sociales, reproduction. Elles sont délimitées par du marquage urinaire chez les chats d'extérieur.
- **La zone d'isolement.** C'est la zone du territoire qui sert au repos et au refuge. Elle est généralement située en hauteur, loin de toute circulation. Cette zone est délimitée par du marquage par griffades.
- **La zone d'élimination.** C'est une zone très personnelle ! Loin de toute circulation, elle est délimitée par du marquage par griffades.
- **La zone d'agression.** C'est la portion de l'espace dans laquelle, lorsqu'un individu y pénètre, déclenche l'agression du chat. Les dimensions de cette zone varient selon l'état émotionnel du chat et ne sont donc pas marquées. Chez un chat équilibré, elle se limite aux pourtours du corps. Chez un chat émotionnellement instable, elle s'étend plus ou moins autour du chat.

Il faudra donc travailler sur cette organisation spatiale en respectant toutes ces zones et leurs fonctions.

À retenir

Le répertoire comportemental du chat comporte des sauts, de l'escalade et permet la recherche de confort et sécurité en hauteur.

L'utilisation de structures verticales en hauteur en milieu confiné pourrait donc être bénéfique. Leur mise à disposition permet au chat un meilleur contrôle sur le milieu environnant avec une vue d'ensemble sur son domaine de vie. L'ajout de lieux où le chat a la **possibilité de se cacher** a montré un réel bénéfice.

Des chats admis en refuge animalier ont montré des scores de stress inférieur lorsqu'une boîte permettant de se cacher leur était fournie. Les abris, cordes, arbres à chats et toutes les surfaces en hauteur, fournissent aux chats des points de vue, l'opportunité d'exprimer des comportements dits « actifs », complexifient l'environnement et sont autant de possibilités de se retirer ou de se reposer à l'abri.

ADAPTEZ SON MODE D'ALIMENTATION

Dans la nature, le chat doit chasser pour manger… Chez vous, il n'a plus la nécessité de chasser pour se nourrir, donc il grignote toute la journée, il s'ennuie et il grossit. Faites-le chasser !
Il peut être très intéressant de lui proposer un repas mais aussi des croquettes cachées dans la maison : cacher la nourriture permet à votre chat de mimer le comportement de prédation.

Le système traditionnel de distribution de deux repas par jour ne correspond donc pas aux exigences de votre chat.

À retenir

Le comportement alimentaire est directement lié au comportement de prédation.
Si le chat ne sort pas, il doit disposer de leurres de prédation pour accéder à sa nourriture.

Un régime alimentaire en libre distribution apparaît comme beaucoup plus adapté.
Toutefois, si une alimentation à volonté et en libre accès est envisageable chez un chat entier avec une activité physique suffisante, elle ne peut être mise en place chez un chat stérilisé à l'intérieur, car l'animal risque de prendre du poids. Il faudra alors fournir une quantité contrôlée d'aliments, adaptée aux réels besoins énergétiques de votre chat, mais qu'il prendra tout au long de la journée.
En appartement, la nourriture est le plus souvent de type industriel et distribuée dans des gamelles, à horaires fixes ou en libre-service. Sa nature et sa présentation entraînent une consommation rapide de l'aliment. De telles modalités de distribution des ressources alimentaires ne permettent pas au chat d'exprimer **le comportement alimentaire naturel du chat : localisation > capture > mise à mort > ingestion des proies.**

En pratique

Pour que votre chat puisse adopter un comportement alimentaire plus proche de celui du chat sauvage, des jouets ont été élaborés :

ils renferment des aliments avec lesquels les chats doivent interagir pour accéder aux ressources alimentaires.
Il est recommandé d'ajouter de petites quantités de nourriture à de multiples endroits, pour encourager les comportements exploratoire et locomoteur : des distributions alimentaires de nombreuses fois au cours de la journée permettraient de mieux mimer le comportement alimentaire naturel.
Les puzzles alimentaires obligent le chat à bouger, et en mimant des proies, permettent la stimulation cognitive associée à la capture des proies. Faites un « parcours alimentation » chez vous !

ADAPTEZ SES « TOILETTES »

Le chat veut être au calme et ne pas être vu ! L'emplacement de la litière est donc stratégique.
Les aires d'élimination sont spécifiques et il faut donc prévoir **au moins une litière par chat** dans des zones calmes.
L'élimination a lieu en moyenne trois fois par jour. Elle se déroule en 5 étapes et est identique chez les deux sexes : **choix d'un endroit calme avec un substrat meuble > creusement d'un trou > accroupissement > émission de l'urine ou des selles > recouvrement des besoins avec les antérieurs.**
Connaître ce déroulement vous permet de savoir où mettre la litière (dans un endroit calme) et quelle quantité de substrat mettre dedans (suffisamment pour qu'il puisse creuser et recouvrir ses besoins) !

Gardez à l'esprit que le bac à litière représente une ressource importante dans l'environnement du chat, qui peut faire l'objet de conflits et de rivalités entre les chats d'une même maison, surtout si l'un d'eux décide d'en interdire l'accès aux autres. En général, l'accès à un bac à litière doit être facilité, en prodiguant au moins une litière par chat, et autant de litières qu'il y a d'étages : oui, des toilettes à chaque étage !

Attention ! Les huiles essentielles sont à manier avec précaution chez l'homme, mais elles sont interdites avec les chats (ni à inhaler, ni évidemment au contact de son pelage). Le chat, contrairement à l'homme, ne peut pas éliminer de son organisme les toxiques contenus dans les huiles essentielles. Même si certaines sentent très bon, n'en utilisez pas pour, par exemple, désodoriser sa caisse…

ADAPTEZ-VOUS À SON RYTHME DE SOMMEIL

Le chat domestique est un animal nocturne. Le sommeil du chat est fractionné et permet la récupération, la mémorisation et l'apprentissage. Il est fractionné en cycles avec une phase de sommeil profond et une phase de sommeil paradoxal (30 % de la durée totale du sommeil).

L'aire de repos doit être choisie à distance de l'aire d'alimentation et d'élimination.
Les lieux de couchage (oui, *les* lieux car il ne va pas dormir toujours au même endroit) doivent être situés dans des lieux calmes et variés, afin de respecter le temps de sommeil très important du chat.
Certaines des couchettes de votre chat doivent être placées en hauteur et cachées, car, même s'il a toujours vécu chez vous, il a une mémoire collective : il sait qu'un chat dort en hauteur (pour voir les proies et les agresseurs) et qu'il aime voir sans être vu.

Certains spécialistes suggèrent l'existence d'une adaptation du chat de maison ou d'appartement au rythme des humains. Cette adaptation est relative, et il arrive souvent que les chats réveillent leurs humains… pour… jouer, bien sûr !
Le miaulement d'un chat en pleine nuit est très souvent un appel au jeu : comment lui dire qu'il faut aller se recoucher ?

Surtout ne pas répondre !

Même si vous lui hurlez de se taire, il ne retiendra que le fait que vous lui avez parlé et il est très content ! Les chats aiment que l'on s'occupe d'eux. C'est le principe du renforcement positif : il miaule la nuit : vous réagissez, vous vous levez, vous lui donnez à manger en espérant qu'il aille se coucher.

Qu'a-t-il compris ? Que vous l'aimez : il miaule et vous réagissez : il adore ça !

Un petit rituel : pas d'histoire du soir, mais une petite séance de jeu

Les chats aiment les rituels et surtout ils les associent à des événements : on joue, puis on se couche. Mais attention, il faut bien suivre les règles : on joue à heure fixe, puis on se couche à heure fixe, sans changer de rythme le week-end.

Il dort dans son lit

Plus de 50 % des propriétaires de chat déclarent partager leur lit avec leur chat. Si c'est votre cas, ne vous étonnez pas qu'il vienne vous lécher le visage quand il veut un câlin…

Pas de lumière, porte fermée

Certains chats ont besoin de limites spatiales. Une porte fermée est le signal de l'extinction des feux.

Un dernier repas

Le repas du soir peut être considéré comme un signal. Et surtout votre chat s'endormira pour digérer sa « proie ».

Fatiguez-le !

La durée du sommeil du chat est proportionnelle à son activité. Plus un chat passe de temps à chasser, plus il a besoin de récupérer. Il doit pouvoir se dépenser dans la journée.
Il est possible d'habituer un chat à dormir la nuit, mais il faut qu'il ait de quoi s'occuper en journée. Les agitations et réveils nocturnes sont presque toujours dus à l'ennui.

Le chat est un animal nocturne : ses heures d'activité instinctives se situent à l'aube, au crépuscule et en milieu de nuit. Le sommeil du chat est très également lié aux saisons, et en particulier à la luminosité : même en été, fermez les volets.

Il devient fou !

Souvent observé au lever du jour ou à la tombée de la nuit, ce coup de folie chez le chat indique un **état de stress intense :** mais il y a stress et stress. Celui-ci est plus proche de l'état d'un sportif avant la compétition : un stress positif qui met tous les sens en éveil. Souvenez-vous que votre chat est un chasseur. En plein jour, il est vu de ses proies donc il dort puis, dès que la lumière diminue, il est aux aguets, par instinct : il commence donc à s'agiter et à simuler une séance de chasse : il se « chauffe » mais au lieu de s'étirer, il court comme un fou d'un bout à l'autre de l'appartement : ainsi, dès qu'une souris apparaîtra, il sera prêt, mais comme rien ne vient, il continue à s'exciter.
Sa technique de chasse demande beaucoup d'énergie : harceler, bondir, courir, sauter, grimper, capturer : il a besoin d'être au top de sa forme, donc il s'entraîne ! Oui le soir ! Il préfère, et puis vous êtes là, vous le regardez… alors il est très content.

ADAPTEZ SES JOUETS

Votre chat est un chasseur. Il est normal de le retrouver, tout fier sur le pas de la porte, avec une souris serrée entre ses mâchoires.
La prédation n'est pas un comportement pathologique mais un comportement normal du répertoire félin. Mais il faut éviter que votre chat ne décime toute la population d'oiseaux et de rongeurs du quartier : il faut donc lui proposer d'autres activités.

Le chat poursuit, chasse et mange seul, environ 12 heures par jour. La chasse est avant tout un art solitaire au cours duquel le chat met en œuvre une stratégie, analysant en permanence toutes les informations et agissant en conséquence.

La **séquence de prédation** comporte plusieurs étapes :
- **la recherche et l'affût :** votre chat essaie de détecter des proies à distance (signaux acoustiques et visuels) ;
- puis une **phase d'attente de l'apparition de la proie :** le chat est couché en état d'alerte maximale ;
- puis intervient **la poursuite et l'approche lente ;**
- puis **la capture par bonds ;**
- puis **la mise à mort.**

Il faudra qu'il puisse reproduire toutes ces étapes chez vous pour avoir le plaisir de mettre à mort sa proie ! Oui, mais pas au point de lâcher des souris chez vous ! C'est là que le choix des jouets est primordial.

Votre chat a un temps de jeu quotidien supérieur aux chats ayant un accès libre à l'extérieur : le jeu va remplacer la chasse et surtout le temps qu'il consacre à attendre une éventuelle proie. Il faut donc mettre à sa disposition de nombreux jouets.

Il faut noter que le temps d'observation de la séquence de prédation est très important et très bénéfique pour le chat.
Avez-vous déjà observé un chat devant un aquarium ? Le plaisir d'observer les poissons comme des proies est aussi grand que celui de les attraper.

Ce chat est dans son
« quart d'heure de folie ».
Un vrai spectacle !

Le comportement de prédation peut être par exemple encouragé avec l'utilisation de jouets en mouvements ou de plateformes alimentaires. Ces techniques permettent au chat de dépenser de l'énergie et du temps pour accéder aux ressources alimentaires, stimulent l'instinct de chasse et permettent une stimulation mentale et physique tout en motivant le chat à jouer.

À savoir

Dans une étude impliquant dix sortes de jouets différents, les chats ont montré une attirance plus marquée pour les jouets constitués d'élastiques, de coton ou caoutchouc, attachés en hauteur à l'aide d'un fil, et permettant un mouvement de va-et-vient du jouet devant eux. Le succès de ce type de jouets est lié à leur mouvement, stimulant l'expression de comportements de la séquence de chasse du chat : poursuite et bond sur la proie.

Le jeu auquel les chats ont porté le moins d'intérêt correspond un jeu de poursuite, comportant une balle que le chat peut déplacer dans un circuit fermé.

Ce faible intérêt peut s'expliquer par l'absence de possibilité de capture et de bond sur la balle, bien que le jouet soit en mouvement. Ces jeux où le jouet est seulement mis en mouvement ne fournissent pas au chat l'opportunité de réaliser la phase finale d'une séquence de chasse, c'est-à-dire la phase consommatoire : sauter sur sa proie et la « tuer ».

LES JOUETS

Le jeu est un comportement essentiel pour le chat, qu'il ait ou non l'expérience de la chasse. Le jeu des adultes étant principalement orienté vers des objets, il est indispensable de proposer des jouets.

De très nombreux jouets pour chat sont aujourd'hui disponibles sur le marché, des classiques balles ou cannes à pêche à des jouets plus technologiques, à mouvement autonome, réagissant aux coups de patte de l'animal ou censés mimer les actions d'une proie par des déplacements aléatoires. **Un jouet pour chat est d'autant plus stimulant qu'il est évolutif.**

Les jouets doivent être sains, faciles à nettoyer, durables, renouvelés régulièrement et inoffensifs pour les animaux.

Charlotte et Luna, chatte persan de 4 ans

« On nous a dit qu'il est important qu'un chat joue et qu'il faut lui présenter des jouets de toute sorte. Nous avons investi une fortune dans tous les jouets high-tech, des trucs qui clignotent, qui roulent, qu'il faut attraper dans un tunnel.
Nous, nous trouvons ça rigolo, mais Luna reste perplexe. J'en déduis que nous avons un chat qui exceptionnellement n'est pas joueur. »

Un jouet souple, élastique, peut partiellement remplir ce critère ; c'est également le cas des jouets « bruyants », qui crissent ou couinent sous les crocs, ou encore des jouets interactifs qui bougent, clignotent, roulent au contact du chat : les balles, ou un jouet de type plumeau ou canne à pêche.

L'habituation des chats aux jouets est rapide et l'intérêt pour un jouet diminue très vite ! Il est donc important de lui proposer des **jouets inconnus**, porteurs d'odeurs peu familières : renouvelez le stock de jouets en permanence.

Le jouet pour chats idéal permet d'exprimer toutes les phases de la prédation : affût, capture, poursuite, jusqu'à la phase consommatoire : lacérations, morsures et mise à mort.
C'est la raison pour laquelle il faut limiter les jouets de type « laser », où le chat poursuit une lumière qu'il n'a aucune chance de pouvoir toucher et capturer, ou les balles transparentes contenant un élément qu'il ne peut pas saisir.
Pour cette raison également, il est important lors des séquences de jeu de **laisser le chat capturer le jouet**. Il est également possible de lui donner au moment de la capture une friandise, pour permettre à l'animal d'achever sa phase consommatoire et ne pas provoquer de frustration, en particulier s'il s'agit d'un jouet qui ne peut pas être mordu ou griffé.

Le jouet doit pouvoir :

- **être assimilé à une proie**, en possédant une taille et une texture stimulant la prédation ;
- **changer de caractéristiques**. En effet, si un objet possède des caractéristiques initiales attrayantes, le chat s'y intéresse, mais si ses caractéristiques restent les mêmes au fil du temps, le chat s'y habitue. Dans la nature, lorsqu'une proie reste insensible et résiste aux attaques du chat, l'animal finit par s'en désintéresser. En revanche, si la proie est blessée ou si de nouvelles proies apparaissent, le comportement de prédation se poursuit.

Des échanges entre les différents jouets peuvent être régulièrement effectués pour apporter de la nouveauté et garantir le succès des séances de jeu.

En pratique

Proposer à son chat « des jouets proies » comme dans la nature. Il doit pouvoir les observer, les faire rouler… comme il le fait dans la nature, en respectant toutes les étapes de la chasse : boule en papier aluminium, bouchon suspendu par une ficelle et accroché à une poignée de porte.

Les bons jouets :

- des jouets qu'il peut attraper : rien dans des tunnels fermés ;
- des jouets qui changent de forme : une souris qu'il peut déchiqueter ;
- des jouets qui bougent dans tous les sens : il peut sauter dessus (souris mécanique) ;
- des jouets qui ne roulent pas trop : ça part sous les meubles !
- des jouets peu bruyants : le bruit fort l'excite ou lui fait peur ;
- des jouets qui se balancent : ça part et ça revient comme une proie qui s'échappe ;
- des jouets qui brillent.

Quelle taille ?

Donnez à votre chat des jouets petits : s'ils sont trop gros, le chat ne s'attaquera pas à eux.

La faim et la taille du jouet-proie influencent directement le comportement du chat : un chat affamé s'attaquera plus volontiers à un jouet de grosse taille et aura davantage de contacts rapprochés avec le jouet, de même qu'il osera davantage s'attaquer à une proie de grosse taille et sera plus enclin à la tuer.

Les jouets plus petits, de la taille d'une petite proie (comme des souris), favoriseraient davantage le jeu, quel que soit l'état de satiété du chat.

Karine et Garfield, chat européen mâle, castré, de 2 ans

« Notre chat est très joueur. Le problème, c'est qu'il préfère nos pieds, nos mains à une balle. Il nous saute dessus ou nous attend au détour d'un couloir. Après avoir pris conseil auprès d'un spécialiste, il a semblé qu'il nous prenait pour une proie et qu'il s'ennuyait. Le fait de mettre des jouets plus adaptés, qui bougent, qui brillent, a permis à Garfield de mieux jouer. Nous ne sommes plus obligés de regarder la télé en mettant nos mains dans nos poches ! »

ATELIER PRATIQUE

Vous pouvez bien sûr acheter des jouets en animalerie, mais vous pouvez également les fabriquer. Voici quelques pistes pour bricoler des jouets à votre chat.

Un jouet à attraper

- Un bouchon de liège : c'est facile à trouver !
- Des plumes : ramassez des plumes d'oiseaux, que votre chat appréciera davantage que des plumes artificielles.
- Une boule de papier : en aluminium de préférence, c'est brillant et bruyant !

Attention : Attachez toujours quelque chose au bout de l'élastique pour éviter les ingestions ! Vous pouvez également attacher le tout à une porte, ce qui évite l'ingestion et permet le mouvement.

Un jouet à poursuivre

Votre chat doit absolument pouvoir attraper le jouet, sinon il serait frustré.

- Mettez quelques croquettes dans une grosse boule de papier aluminium.
- Percez sur sa hauteur une petite bouteille d'eau vide. Faites plusieurs trous, des gros et des petits. Insérez dans la bouteille des croquettes, qui ne pourront passer que par les plus gros trous.

Un jouet bruyant

Là aussi, choisissez une petite bouteille, mais sans la trouer, et remplissez-la de petits cailloux.

Vous pouvez aussi attacher entre elles plusieurs balles de ping-pong.

Un jouet interactif

Fabriquez une canne à pêche : une tige en bois (comme les tuteurs pour les plantes), une ficelle, assez longue pour pouvoir la faire bouger, à laquelle vous accrocherez une petite peluche qu'il pourra attraper comme une proie. Votre rôle sera de faire bouger la canne à pêche comme une proie qui pourrait se sauver mais se laisser attraper !

Attention : n'utilisez surtout pas de fil de pêche !

Un jouet à sentir

Prendre une petite balle en caoutchouc de jeu de raquette de plage et la frotter avec de l'herbe à chat.

Ça doit bouger !

L'appétit n'est pas déterminant dans l'apparition du comportement de prédation. Un chat rassasié aura quand même une motivation pour la chasse. Les cris émis par les souris peuvent déclencher le comportement de prédation, mais c'est au mouvement de la proie que le chat est le plus sensible, un chat inexpérimenté ayant de grandes difficultés à repérer une proie immobile. **Faites bouger les jouets !**

La technique de chasse du chat en fait un piètre chasseur d'oiseau : le chat progresse lentement, se plaçant à couvert ou au ras du sol, s'immobilisant à plusieurs reprises jusqu'au moment où il bondit sur sa proie.

Cet « affût » particulièrement approprié à la capture des rongeurs (le chat leur laisse le temps de s'éloigner de leur terrier) n'est pas très efficace pour capturer des oiseaux qui restent souvent peu longtemps au sol et s'envolent avant que le chat ne se soit décidé à bondir. **Choisissez des jouets qui roulent !**

Où mettre les jouets ?

- dans des coins cachés : comme une proie ;
- dans des endroits inattendus (dans une penderie).

Faut-il lui donner les mêmes jouets ?

Non, changez et variez les plaisirs : un jour une boule de papier aluminium, le lendemain un bouchon de liège…

Faut-il jouer avec lui ?

En favorisant le jeu, on contribue au bien-être du chat de compagnie de plusieurs façons : on lui offre une activité stimulante, lui permettant de se dépenser et de mimer la capture d'une proie. Mais votre chat a-t-il besoin de vous pour chasser une souris ? Non ! Alors pour jouer, non plus !

COMMENT TRANSFORMER UNE PARTIE DE L'APPARTEMENT EN SALLE DE JEUX POUR VOTRE CHAT ?

Les 5 grands principes d'aménagement de l'environnement de votre chat

- Lui prodiguer un environnement sain et sécurisé.
- Séparer les aires de vie du chat.
- Lui donner l'opportunité de jouer.
- Lui permettre d'exprimer un comportement de prédation.
- Permettre des interactions positives et stables entre l'Homme et le chat.

UNE LUMIÈRE TAMISÉE

La perception de la lumière par le chat est supérieure à celle de l'homme. Les chats perçoivent environ 130 fois plus de lumière que les humains. Pour ces raisons, l'éclairage du lieu dédié au jeu ne doit pas dépasser 20 Watts par mètre carré.

UN PEU DE CHALEUR

La fourchette de température dans laquelle l'effort de régulation thermique du chat est minimal se situe entre 30 et 38 °C. La température usuelle d'une habitation humaine se situant plutôt entre 20 °C et 23 °C, proposez-lui des couchages, des zones de repos ou des cachettes dans des matières conservant la chaleur : il jouera puis se posera au chaud !

À LA VERTICALE !

Le besoin qu'ont les félins d'évoluer en trois dimensions, en grimpant, sautant et escaladant est bien connu. L'intérêt des plateformes et des promenades fixées au mur ou au sommet d'arbres à chat est évident, l'installation un peu moins !

Il est possible d'installer des hamacs sous les chaises ou entre deux meubles, de suspendre d'épaisses cordes permettant de grimper, ou de placer des sièges et des étagères, idéalement à proximité d'un point d'observation comme une fenêtre.

QUE CHOISIR POUR SA SALLE DE JEU IDÉALE ?

En plus des nombreux jouets dont nous avons déjà parlé, il est judicieux de proposer à votre chat les éléments suivants :

Des postes d'observation

Des meubles permettent aux chats de se réfugier en hauteur. Vous pouvez les agrémenter d'un tapis moelleux, absorbant et lavable, afin de fournir à votre chat une surface plus attractive.

Un arbre à chat

L'arbre à chat doit comporter, dans l'idéal, autant de plateformes que de chats. Sa surface doit être imperméable et la plus résistante aux griffes possible afin de rester lisse et permettre un nettoyage facile, mais être néanmoins conçue dans un matériau confortable et conservant la chaleur corporelle de l'animal, comme du bois ou du plastique. Il est possible de fixer des housses lavables en machine aux plateformes afin d'en augmenter le confort.

Un griffoir

Les griffoirs doivent être suffisamment hauts pour permettre à votre chat de s'étirer et de se dresser sur ses postérieurs. Les préférences des animaux en matière de substrat sont variées et plusieurs textures doivent donc être proposées, notamment du sisal, du carton et éventuellement de l'écorce de bois

Des cachettes et des couchages

De simples boîtes en bois ou contreplaqué avec ou sans coussin comme couchage constituent une alternative simple, peu coûteuse et confortable pour les chats. Solides, elles peuvent servir de perchoir en même temps que de cachette, ou de support pour un petit arbre à chat.

Des boîtes en carton 3 étoiles

Le chat aime se cacher dans les boîtes en carton, surtout pour en sortir et rentrer dedans à toute vitesse. C'est plus un lieu de jeu que de repos. Il faut donc qu'il puisse entrer, sortir, surveiller et que la boîte tienne le coup.

Si vous regardez bien votre chat, vous remarquerez que souvent il entre par le dessus en sautant dans la boîte. La boîte est donc à positionner avec l'ouverture à la verticale, en laissant les rabats qui lui permettent de ne sortir que la tête.

Faites un petit trou sur les côtés pour pouvoir passer un jouet (mais pas votre main !).

Vous pouvez mettre dans le carton un matériau qui fait du bruit comme de l'aluminium.

UN ENVIRONNEMENT RICHE POUR UN CHAT EN PLEINE FORME

Maintenant, vous savez comment enrichir l'environnement de votre chat, lui fabriquer des jouets, respecter son espace. Ainsi votre chat s'active suffisamment, et il est moins sujet au stress et à l'ennui.
Si certains comportements d'anxiété ou d'ennui persistent, c'est que vous n'êtes pas allé assez loin dans cet enrichissement. Il n'est jamais trop tard : identifiez les manques, et rectifiez le tir !

Attention
Tout problème médical doit être écarté. Assurez-vous avec votre vétérinaire que votre chat ne souffre d'aucun souci de santé.

PRÉVENIR/GUÉRIR LES TROUBLES DU COMPORTEMENT

Parmi les comportements dits « gênants » figurent des comportements « normaux ». En effet, ils figurent dans le comportement normal du chat, et ne sont pas le résultat d'un trouble du comportement. Parmi ces comportements gênants, beaucoup ne sont pas pathologiques : il urine partout s'il n'est pas stérilisé par exemple.

Il est parfois délicat de savoir quels sont les comportements que l'on cherche à favoriser. Les comportements de l'animal en liberté sont souvent pris comme référence du bien-être animal mais cette théorie est controversée.
En effet, il est difficile de déterminer si un comportement altéré en milieu confiné, par rapport au comportement de l'animal en liberté, est simplement un changement adaptatif ou une indication de son mal-être.

Pour comprendre l'origine d'éventuels troubles du comportement de votre chat, gardez à l'esprit qu'il est et reste un prédateur. En effet, tout est pour lui une proie et tout territoire lui appartient comme domaine de chasse privée !
La majorité des troubles du comportement, quelle que soit leur expression clinique, vient de cette incompatibilité entre instinct de prédateur et vie en appartement.

Un distributeur de croquettes obligera ce chat à bouger et à perdre son embonpoint…

LES TROUBLES ALIMENTAIRES

Le comportement alimentaire de votre chat est directement lié au comportement de prédation, ce qui implique :

- Un besoin de recherche : il doit « chasser » sa nourriture.
- Un rythme alimentaire : il doit pouvoir « chasser » à n'importe quel moment et non pas juste au petit-déjeuner.

Comment résoudre le problème ?

Si votre chat ne sort pas, il est intéressant de lui fournir des leurres de prédation pour accéder à sa nourriture.

Un bon outil est le distributeur de croquettes, qui oblige le chat à produire une gestuelle de prédation : il doit utiliser ses pattes antérieures pour sauter sur le distributeur et obtenir ses croquettes.

LES AGRESSIONS

En l'absence d'activité prédatrice (c'est-à-dire de jeu), le chat développe de l'agressivité :

- il vous prend les mains entre ses quatre pattes et vous mord durant le jeu (jeu-prédation) ;
- il attaque vos pieds au détour d'un couloir (attaque de prédation).

LA PRÉDATION

Le chat présente les mêmes séquences comportementales que celles produites dans le jeu mais avec beaucoup d'agressivité. Il faut alors :

- Surtout respecter ce comportement normal en le réorientant sur un support acceptable : un jouet, une balle, un bout de tissu.
- Ne pas essayer de le supprimer trop rapidement : il y a un risque d'anxiété.

Comment résoudre le problème ?

- Enrichissez le milieu de votre chat avec des jouets inducteurs de prédation : votre chat pourra sauter, les prendre dans sa gueule.

- Proposez-lui un poste d'observation comme dans la nature.
- Jouez avec votre chat.
- Donnez-lui à manger à volonté.

L'AGRESSION

C'est un comportement normal adaptatif correspondant à l'expression d'une émotion, qu'il faut analyser avant d'avoir le réflexe de l'empêcher.
L'agression est souvent déclenchée en situation de conflit : votre chat a la perception d'un danger même si cela n'est pas évident pour vous.

Les comportements d'agression :

- les agressions en situation de peur (défensive) ;
- les agressions pour faire fuir un intrus (offensive) ;
- les agressions lors de contact prolongé ;
- les agressions redirigées par frustration de prédation.

Les agressions lors de contact prolongé

Le chat saute sur les genoux, il vient chercher une interaction… puis mord et griffe… et s'en va !

Comment résoudre le problème ?

- Surveillez le langage corporel de votre chat et repérez les signaux annonciateurs de l'attaque : regard qui change, pupilles dilatées, battement du bout de la queue ; oreilles en arrière.
- Ne caressez ni le dos ni la queue de votre chat.

L'agressivité liée à un problème de jeu

Ces agressions se retrouvent lors des épisodes anxieux qui apparaissent par ennui et par défaut de jeu. Il peut aussi s'agir d'agressions liées à un comportement de jeu inadapté (donc à un mauvais apprentissage du jeu).
C'est une agressivité à prédominance crépusculaire, dirigée le plus souvent contre les pieds, les mollets et les mains des propriétaires.

Cette affection se développe chez des chats vivants en milieu hypostimulant (vie en espace confiné, absence de jouets…) ; les gestes et les mouvements des propriétaires constituent alors leurs seules distractions.

Comment résoudre le problème ?

Choisissez des jouets ressemblant à des proies, comme des souris à fourrure, des jouets contenant de la cataire (voir page 58) et des balles à grelots.

Les jouets les plus stimulants sont de petite taille (7 cm environ), et leur texture est complexe avec, par exemple, des plumes ou de la fourrure et un mouvement rapide.

Le chat se lasse vite et il suffit parfois de changer simplement la couleur du même jouet pour renouveler son intérêt !

LES TROUBLES DU TOILETTAGE

L'importance quantitative de l'« auto-toilettage » et l'organisation séquentielle de ce comportement doivent être mises en relation avec l'importance des comportements tactiles de frottements conduisant à une « familiarisation/individualisation de l'environnement ».

Pas de bain pour votre chat !

Le poil du chat comporte une substance qui lui permet de ne jamais manquer de vitamine D. Il ne faut pas le laver, même pas une ou deux fois par an, car cela ne lui permettrait plus d'absorber cette vitamine.

Au cours des toilettes successives quotidiennes, le chat explore par léchage l'ensemble de sa surface corporelle : il « absorbe » les informations chimiques présentes sur sa surface corporelle puis il étale sa propre odeur sur l'ensemble de son corps, et enfin, il redépose dans son domaine vital sa propre information olfactive : il est alors *chez lui.* S'il ne peut pas réaliser cette séquence, il se toilettera trop, ou au contraire plus du tout.

Comment résoudre le problème ?

Donnez l'occasion à votre chat de se laver tranquillement, dans un endroit calme et si possible en hauteur.

Ne le caressez pas juste après sa séance de toilettage.

Vous pouvez, en revanche, le brosser régulièrement pour l'aider à éliminer les poils morts. Il est aussi important de brosser régulièrement les chats à poils longs.

LES TROUBLES DE L'ÉLIMINATION

Tout ce qui peut déstabiliser l'organisation du domaine vital du chat peut entraîner des troubles de l'élimination : déménagement, changement de mobilier, naissance, arrivé dans le foyer d'une nouvelle personne, changement d'horaire… Rappelons que vous devez préparer votre chat aux changements, avec douceur et progressivement.

Mais le plus souvent, c'est que le bac à litière est mal placé chez vous, ou que le type de litière ne convient pas à votre chat. Faites donc un « point litière » :

- La taille et la place du bac à litière sont-elles adaptées ? Votre chat ne peut pas éliminer comme il le souhaite dans un endroit de passage !
- Le nombre de litières est-il suffisant ? Il faut un bac par étage, et un bac par chat si vous en avez plusieurs.
- Le type de litière convient-il à votre chat ? C'est un animal délicat !
- Avez-vous changé de marque récemment ? Cela peut perturber votre chat.
- Nettoyez-vous assez souvent la litière ? Nettoyez plus fréquemment ; l'idéal est de retirer les excréments tous les jours et de changer la litière tous les 2 jours. Ne désinfectez pas trop car votre chat doit retrouver son odeur.
- Les produits utilisés pour nettoyer le bac conviennent-ils ? N'utilisez pas d'eau de Javel car les chats adorent son odeur et risquent de s'intoxiquer en léchant le produit. Le mieux est d'utiliser de l'eau chaude.

LE BAC À LITIÈRE

- **La taille :** il doit être suffisamment grand : 1,5 fois la taille du chat. Si vous avez un Main Coon, faites le calcul !
- **Le bac soit être ouvert ou fermé,** mais évitez les portes battantes : certains chats en ont peur.
- **La localisation :** au calme ! Pas dans un couloir, ni dans une pièce avec beaucoup d'allées et venues.
- **Le nombre de bacs =** nombre de chats + 1.

LE MATÉRIAU DE LA LITIÈRE

Votre chat est sensible au substrat, à la texture, à l'odeur et surtout à la façon dont se gratte la litière !

Vous avez le choix entre :

- les litières végétales (se nettoient tous les jours, et se changent intégralement tous les 2 jours) ;
- les litières minérales (se nettoient tous les jours, et se changent intégralement tous les 2 jours) ;
- les gravillons (se nettoient tous les jours, et se changent intégralement tous les 2 jours) ;
- l'argile (dont il faudra enlever la partie souillée au moins 2 fois par jour) ;
- la litière à base de cristaux de silice (qui absorbe les odeurs et redevient sèche très rapidement).

Quel que soit le matériau de la litière, **certaines sont agglomérantes**, d'autres non. Cette donnée vous importera davantage à vous, puisqu'elle influera sur la fréquence de nettoyage.

En revanche, il est fortement **déconseillé de choisir une litière parfumée**. Le chat étant très sensible aux odeurs, il peut être incommodé et aller faire ses besoins ailleurs.

Comment résoudre le problème ?

Testez de nombreuses litières pour trouver celle qui convient le mieux à votre chat. Hormis les réserves émises sur leur parfum, il n'existe pas de bonnes ou de mauvaises litières : certaines sont adaptées à *votre* chat, d'autres non !

L'idéal reste tout de même de se rapprocher le plus possible de la nature : preuve en est que les chats adorent faire leurs besoins dans les pots de fleurs…

LES TROUBLES DERMATOLOGIQUES

Les affections de la peau de votre chat peuvent indiquer un stress ou une anxiété, mais elles peuvent aussi résulter de parasites, qui provoquent rougeurs et croûtes. Il faudra donc toujours vous assurer auprès d'un vétérinaire que votre compagnon n'a aucun parasite.

Voici les syndromes dus à des problèmes de comportement :
- Le granulome de léchage : le chat se lèche sur le ventre et présente des plaies qui ressemblent à des brûlures.
- L'alopécie extensive féline : à force de se lécher, le chat perd ses poils, mais la peau n'est pas irritée.
- L'onychophagie : le chat se mange les ongles et cela entraîne parfois des saignements.
- L'automutilation : le chat s'attaque surtout à sa queue.

Si les troubles dermatologiques de votre chat sont dus au stress ou à l'anxiété, il faudra utiliser toutes les techniques possibles d'enrichissement du milieu, stimuler le chat au jeu et aux activités prédatrices et exploratoires.

Comment résoudre le problème ?

Un chat suffisamment stimulé ne développe pas d'affections dermatologiques, car il n'est ni stressé ni anxieux.

POUR FINIR...

Comprendre et respecter les besoins des animaux vivant à nos côtés nous préoccupe de plus en plus, à juste titre.
Trouver des moyens de réduire le stress et les comportements qualifiés d'anormaux doit être l'une de nos préoccupations.
Fournir de bonnes conditions d'hébergement, permettre des contacts avec les congénères, un enrichissement physique et social passant par une bonne familiarisation à l'Homme, permettent d'améliorer le bien-être de votre chat.

Enrichir le milieu des chats permet d'améliorer leur bien-être. Il est important de prendre en compte le tempérament de votre chat. Chaque animal répond de sa propre façon à un enrichissement et ce qui fonctionne sur un individu peut être inefficace chez un autre : il vous faut donc personnaliser l'aménagement de votre maison ou appartement en fonction de *votre* chat. Vous vivez avec votre chat, c'est donc vous le meilleur observateur. Soyez patient pour ne pas imposer à votre chat un nouvel aménagement : proposez, observez ses réactions et adaptez son milieu en fonction de celles-ci.

CONTRÔLE TECHNIQUE

Parcourez votre appartement et observez votre chat !

Environnement actuel

Répondez et notez de 1 à 5.
1 : vous jugez la situation très mauvaise, 5 : c'est parfait

Emplacement de sa litière : .... /5

Emplacement de sa gamelle : .... /5

Emplacement de son panier : .... /5

Ses jouets : .... /5

Son poste d'observation : .... /5

Les éventuels troubles du comportement

Répondez et notez de 1 à 5.
1 : vous jugez la situation très mauvaise, 5 : c'est parfait

A-t-il des plaies de léchage, des zones sans poils ? .... /5

Est-il boulimique, anorexique ? .... /5

Est-il agressif ? .... /5

Dort-il tout le temps ? .... /5

A-t-il des TOC ? ....
.... /5

Modifications à faire d'urgence

C'est à vous de les trouver grâce aux conseils donnés dans les pages qui précèdent.

Sa litière ....

Sa gamelle ....

Son panier ....

Ses jouets ....

Son poste d'observation ....

Notez les changements de comportement que vous avez pu observer.

Soyez patient, faites le point un mois après avoir effectué les changements. N'oubliez pas que les changements doivent être progressifs, au risque de déstabiliser votre chat.

....

....

....

....

....

....

....

....

....

....

24, rue de Mogador
75009 Paris
Tél. : 01 48 05 03 03
Fax : 01 48 05 02 04
www.editions-ulmer.fr

Tous les dessins ont été réalisés spécialement pour ce livre par Kei Lam

Réalisation : Julia Verneau
Responsabilité éditoriale : Raphaèle Dorniol
Impression : Printer Trento, srl
ISBN : 978-2-37922-020-3
N° d'édition : 020-01

Dépôt légal : septembre 2019
Printed in Italy

FSC
www.fsc.org
MIXTE
Papier issu de sources responsables
FSC® C015829